現代女性作家読本㉑

MURATA SAYAKA

村田　沙耶香

スペッキオ・アンナ 編

鼎書房

はじめに

現代女性作家読本シリーズは、二〇〇一年に中国で刊行された『中日女作家新作体系』（中国文聯出版）全二〇巻の日本方陣に収められた一〇人の作家を対象とした第一期一〇巻（川上弘美・小川洋子・津島佑子・笙野頼子・松浦理英子・多和田葉子・髙樹のぶ子・柳美里・山田詠美・中沢けい）につづき、二〇一〇年代には第二期一〇巻（江國香織・長野まゆみ・よしもとばなな・恩田陸・角田光代・宮部みゆき・桐野夏生・坂東眞砂子・山本文緒・林真理子）、別巻二巻（鷺沢萠・西加奈子）を刊行しました。

今回、第三期一〇巻を刊行するにあたり、新たに二〇〇〇年代以降の文学状況を見通す上でキーとなる一〇人の作家をあげました。これらの作家は、一九九一年に始まった「女性と文学の会」を前身とする「女性文学会」の読書会において、二〇〇〇年以降多く取り上げてきた作家たちです。現代は、女性を巡る社会状況が大きな変化を遂げた一方で、そんな変化を経てもなお残る課題と新たに浮上した課題とが複雑に連関しながら混在しています。〈女性〉という括り方をも含め、この一〇人は、それぞれに独自のスタンスと表現方法で、今現在と切り結ぶ著作を生み出し続けています。

第三期では各巻に編者を立て、総論を付しています。すべて書き下ろしで構成し、幅広い研究者に多数参加して貰いました。柔軟で刺激的な論考を集めた第三期一〇巻も、既刊同様に対象の女性作家研究にとどまらず、現代文学全体への新たな地平を切り開く一助になれば幸いです。

目次

目次

村田沙耶香

村田沙耶香の文学世界

――水槽の中のユートピア――スペッキオ・アンナ

村田沙耶香は二〇一六年に『コンビニ人間』（「文學界」16・6、文藝春秋、16・7）で第一五五回芥川賞を受賞した。作品は三〇か国語以上に翻訳され、作家としての国際的な成功を果たした。受賞当時の村田もコンビニでアルバイトをしていたということも話題になった。しかし、それより脚光を浴びたのは、他者との〈共通前提〉を共有できない主人公の古倉恵子が、他者の目から〈異物〉や〈異常な存在〉とみなされていたことで抱かずにはいられない「違和感」であり、社会的通念による〈普通〉の定義と、決められたジェンダーの役割や職場上の不安定さなどである。『コンビニ人間』は芥川賞を受賞したとはいえ、村田沙耶香文学の到達点だと明言してしまうことは、妥当な評価とは言えない。むしろ、『コンビニ人間』で村田沙耶香文学の転換が起きたと言える。

村田沙耶香の作家としてのデビュー作「授乳」（「群像」03・6）は、二〇〇三年に第四六回群像新人文学賞を受賞した。これは大学時代に試作的に書いた作品であった。「授乳」「コイビト」「御伽の部屋」を収録した『授乳』（講談社）は二〇〇五年二月に出版された。その三作の共通テーマと言えば、女性の性、あるいは女性性のあり方とその棄却だと考えられる。瀧井朝世が指摘するように、「他の村田作品を読んでみても、そこには女であることの強烈な拒絶が感じられる」（「解説」「『授乳』講談社文庫、10・4、230頁）が、それは社会における定着化した男と女の役割、すなわちジェンダーの役割に対しての否定でもあり、「授乳」の場合では、ぬいぐるみなどといった官能的な雰囲気を持たない相手の存在や、母親に対しての嫌悪感などが読み取れる。こうした女であることへの〈拒絶〉は、飯田祐子「村田沙耶香とジェンダー・クイアー『コンビニ人間』、『地球星人』、その他の創作」（『JunCulture:超域的日本文化研究』19・3）をはじめ多くの論者が、女として生きることへの「違和感」にほかならないと指摘している。しかも同じような「違和感」は『授乳』以降の作品においても度々感じられるが、そういった「違和感」の原因をいったいどこにさがすべきか、または村田作品の中でどのような形で描写されているかについて触れてみたい。多くのインタビューで村田は自分が幼い頃から女性の肉体を持つことと、セクシュアルな大人になっていくことなどに関しては強く意識することが多かったと語るが、自分の心に留めていた反面、女性であることに強い戸惑いも感じていたらしい。

小さい頃から、「自分は女だ」という意識がすごく強かったんです。テレビなんかで女性の裸が「価値あるもの」扱いされているから、自分も成長したらそういう目で見られる物体になるんだと思ってました。あと、兄がいたせいで「沙耶香ちゃんは女の子だから」と許されていると意識することもしばしばあって。（市川真人「インタビュー　村田沙耶香—小説を書いて、「解放」へ向かう」「すばる」11・12、326頁）

小さい頃、何か典型的にセクシュアルなものについて、友だち同士でコソコソ話すって感じでした。当時の自分としては、そうした典型的にセクシュアルな話をしながら、自分もまたセクシュアルな大人にならなきゃいけないんだっていう苦しさと、一方でコソコソ話をしていることのエロティックな甘さと、両方を感じていたような気がします。（千葉雅也×村田沙耶香×松岡正剛〈鼎談〉「来たるべきエロス」「Studio Voice」17・411号、26頁）

中学生くらいの頃までは、自分は恋愛をして結婚して出産するのが人生の宿題だと思ってたんです。でもそうじゃない生き方があることに本を読んで気がついて、恋愛においても、男の子が喜ぶような清純で可愛くて、特定の人の前ではちょっとやらしくて、という女の子になって、みそめられて結婚をしなくてはいけないと、すごい思っていて、死ぬほど女性でいることがめちゃめちゃ苦しかったんです。（大久保佳代子×村田沙耶香「「普通」の生き方」『三井ホーム Presents キュレーターズ〜マイスタイル×ユアスタイル』18・9・14）

著者を含め多くの研究者や評者が示したように、女性であることと女のあり方に対しての違和感や食い違い感は、男性社会、あるいは家父長制が作り出した「女性性」への抗議、反抗のようなものとして考えられ、村田なりのフェミニズムだと言える。だが、村田は意識的にそういったフェミニズム的な視点で小説を書いたことは一度もないと発言し、小説を書きはじめるとどのように発展していくかわからないという。

主人公は似顔絵を描いて一から設定を作って創作するので小説内のキャラクターと自分との間には乖離があります。私は主人公が、私が知らないような形の性愛を見つけてくれることがすごく嬉しいんです。私はあらかじめ何も決めず小説を書くほうなんですが、いろいろ人を動かしているうちに、主人公が私の思いがけないことや、意識にさえ上がらないようなことを始めます。小説がそうやって自分の感覚や想像を超えた場所へ連れて行ってくれることを求めています。自分に代わって、主人公自身にとって未知のものを発見してほしいのだと思います。（前出「来たるべきエロス」「Studio Voice」17・411号、22頁）

とにかくシーンを書いてみる。そのシーンを眺めて、これは一体何なのだろう、と考える。小説と作者の意図を建築と足場の関係に喩えられているのですが、書いたシーンを少し寝かせてからもう一度監督の目で眺め、組み直し、足場を外して作り直す。何度も推敲し、それでも訳の分からないことが起きた時は、小説の奴隷になって、小説をコントロールしようとしない。これは私の言い方ですが、自分にとって小説を書くこ

> とは、水槽の中に色々なものを入れて化学変化が起きるようにして、それを忠実に小説に書き留めるということだと感じています。（村田沙耶香「書いている状態の人間に向けて」「文學界」22・8、41頁）

ストーリーの発展や主人公の行方などがわからないまま小説を書いているという村田沙耶香だが、彼女が眺める「水槽」の中の主人公たちは女であることに違和感を抱きながらその息苦しい状態からの脱走を求めて行動するというのがほとんどである。それはおそらく、村田が小さい頃からメディアなどで客体化された女の肖像を見て感じた苦しさと、自分自身がセクシュアルな大人、あるいは社会が求めた〈結婚して子供を産む〉女性にならなきゃいけないという恐怖が混ざり合って無意識的に生んだ自伝的な要素だと考えられる。小説がその作者の自伝的体験に影響されることはよくあるが、村田沙耶香の場合は出身地である千葉、または千葉ニュータウンを舞台にした、意識的な自伝要素もある一方、全ての女性が体験しうる自分が女性である事実を強調される〈ネガティブな体験〉によって無意識的な自伝要素が主人公たちの気持ち・感情を通して表れるので、無意識的かつ感覚的自伝傾向が認められると論じるのは不適切ではないだろう。

村田が無意識的に書く主人公たちの違和感は、小説ごとに違う形で描写されるが、簡単に言えば、家父長制が作り出した「女性性」や文化的構造としての「女」やジェンダーバイナリーと役割などの既成概念への拒否や棄却のように描かれている。例えば、二〇〇八年三月に刊行された『マウス』（講談社）には、これ以降、村田の作品に繰り返し出てくる、二人で構成されている異性愛への対立とも思われる三人関係（三人組）という仕組みも登場すれば、百合関係の視点でも解釈が可能な女の子同士の友情も表れる。「ひかりのあしおと」と「ギンイロノウタ」を収録した同年出版の『ギンイロノウタ』（新潮社）には、小さい頃トイレに閉じこめられたトラウマから、その衝撃を補うために恋愛感がないに近い、あるいは薄い「レンアイ」関係を重ねていく女性と、少女として息苦しい毎日をおくるがアニメキャラに恋に落ちて救われるような気分になる非常に内向的な少女が登場する。『星が吸う水』（講談社、10・2）に収録された「星が吸う水」には、自分の性のあり方を問う主人公が、「ガマズミ航海」にはまったくエロスの感じがしない性行為を求める主人公が登場する。『ハコブネ』（集英社、11・11）にもまた自分の性を模索していく三人の女性の話が語られているが、村田作品で初めて自分のジェンダーアイデンティティを問題にするのがその中の理帆である。『タダイマトビラ』（新潮社、12・3）、『しろいろの街の、その骨の体温の』（朝日新聞出版、12・9）も自らのアイデンティティ、性、性欲などを暗中模索しながら成長していく女性たちの話である。

しかし、「生命式」（「新潮」13・1）や、短編集『殺人出産』（講談社、14・7）、長編『消滅世界』（河出書房新社、15・12）の「恋愛して結婚して出産するのが人生の宿題」（前出、「「普通」の生き方、三井コーム、Curators」）だと思い込んで違和感を抱く主人公たちは、そういった感情を抱く原因がなくなり、ある程度解放されているといえる。なぜなら三作とも半ばSFといっていいような設定があり、その近未来、パラレルワールドの世界では現実社会に現存するすべての〈常識〉〈正しい〉と思われる文化的価値観などが〈汚されたもの〉として抹消されているからである。そういった〈汚された〉概念とされるのは特に〈女〉〈家族〉〈セックス〉である。村田は言葉とその意味がもたらす汚さについて次のように述べる。

> 知った瞬間から汚れている言葉というものがある。その言葉が存在しない世界に暮らしていた子供時代、「これは○○というんだよ」と大人から手渡されたそのときから、彼等の思惑や既成概念にまみれていた言葉たちのことだ。私にとって「女」という言葉がそうだったし、「セックス」もそうだった。そして「家族」という単語も、そうした言葉の一つだった。

> 大人になるということはそうした言葉を自分の力で洗ったり、解体して造り直したりしながら、自分にとっての真実を取り戻していくことだと思っていた。それはとても難しい作業で、一生かかるのかもしれないと思う。中でも一番手こずっているのが、「家族」という言葉だった。
>
> 自分だけではなく誰かがその言葉を使っているときも、汚れている、と感じることがある。様々な幻想や欲望、既成概念を纏いすぎていて、その言葉の本質が見えないのだ。あまりに見えないと、その言葉は自分にとって透明になって人生から消えてしまう。本来は大切な言葉であるはずなのに、そのことをもどかしく、勿体なく思うことが何度もあった。
>
> 「家族」という言葉が難しいのは、肉体と直結した単語ではないからではないか、と考えることがあった。夫婦間にはセックスがあるが、ない場合もある。子供と親の関係を考えても、肉体以外の関係性のほうが鮮烈に浮かんできてしまう。だから、自分自身の肉体に問いかけてそこから糸口を見つけることができない。手ごわい言葉だと、ずっと思っていた。（村田沙耶香「解説「わたしたち」が進む世界」松浦理英子『最愛の子ども』文春文庫、20・5、232～233頁）

「生命式」、『殺人出産』と『消滅世界』には、〈産む性〉としての「女」と異性愛者からなる「家族」をはじめ、様々な既成概念が村田沙耶香なりに〈洗われ〉たりするし、〈セックス〉も〈女〉と〈家族〉並びに肉体関係から離れていく。性行為をする人も少なければ、〈セックス〉という言葉自体ももう使用されていない。その代わり、肉体関係を求めなくても人類という種を存続させる「受精」というものが流行っている。二〇〇〇年代初頭には日本ではセックスレスカップルや草食系男子などが話題になり、その影響もあったかもしれないが、例えば「生命式」には草食系男子の反対を象徴するように、「肉食系女性」が登場する。ただし、その「肉食」はエロティックなニュアンスがなく、文字通りの人肉を食べるカニバリズム、「肉食」である。死体のカニバリズムや殺人の合法化や性（ジェンダー）を問わずの出産が可能な社会を描写するこの三作の女性の主人公たちは女性性や女性のあり方などに関してちぐはぐな感じを抱かないとはいえ、自分が住んでいる社会が正しいのか問うが、結局その社会システムに流されて生きる。というのも、そういった社会システムでは女性が「恋愛をして結婚をして出産する」といった憎まれ役を買って出る必要がない。それにとどまらず、「受精」した者から産まれてくる子どもたちのケア行為は母親個人の責任ではなく、国が管理する「センター」の責任になるため、女性は産み育ての抑圧からも解放されている。つまり、女性は男性と同じような選択肢が与えられている。その選択肢の中で、葬式にて死んだ人の肉を食べたり、他人を殺すために子供を産んだり、国が管理する受精を受けたりするなどの可能性があるからだ。というわけで、この三作を読んで疑念を抱くのは、逆に我々読者なのである。たくさんの解釈が可能なこの三作は多くの評者がディストピア小説と論評したにもかかわらず、村田沙耶香はユートピア小説のつもりで書いたという。たしかに、これまでの女性の主人公たちの不安や危惧などの原因は現代社会が人に植え付けた考えや文化的構造に由来するならば、そういった考えなどがない社会システム、しかも家父長制が成り立たない社会では違和感をもたせる理由がない。そういうわけで、「生命式」と『殺人出産』と『消滅世界』の主人公は女であることから逸脱する必要がない。ジェンダーの役割などが消滅した世界がユートピアでなければなんだろうか、と思う。三作がディストピア小説として分類された理由をまとめて説明すると、我々読者が知っている社会システムが別の社会システムに替えられ、しかも現代社会では考えられないもの、カニバリズム、殺人、そして男性の出産などが合法化され、自分たちが脅かされているように感じ、その悍ましさに圧倒されるからであろう。そして、現実社会では穢れたものが、その「ディストピア小説」の中では〈綺麗なもの〉になったりするように、現実社会では〈綺麗なもの〉がその「ディストピア小説」では穢れたものになる。セックスはそれらの一つなのである。〈汚い〉という、村田の作品に繰り返して登場する言葉はそういった言葉に社会が押し付けた意味につながるといえる。そして、我々がおぞましいと思っているものに対して感じる恐怖は、クリステヴァ・ジュリアが論じた「アブジェクシオン」という概念に関連づけられているといってよい。だから、村田沙耶香の小説は「怖い」「容赦がない」といった表現で評価されている。

二〇一六年に『コンビニ人間』が出版され、この作品に関する多くの論点が出された。先に『コンビニ人間』が村田沙耶香文学の転換のきっかけと思われると述べたが、その理由を説明してみたい。矢野千晶が指摘したように、『コンビニ人間』は「この数年で珍しく、パラレルワールドではなく現代社会を描いた作品」（「差の消滅―村田沙耶香「授乳」から「コンビニ人間」まで」『同志社女子大学日本語日本文学29号』17・6、128頁）だが、古倉恵子という主人公もまた社会が求める、「恋愛をして結婚をして出産する」大人の〈女〉のイメージから程遠い女性なので、自分が「普通」ではない、周りの人と一致しないといった感覚を抱かざるを得ない。それに止まらず、古倉恵子は〈普通〉という概念もわからないように見える。だが、その逃げられないような領域に見える現実社会に生き残るために古倉恵子はコンビニという〈透明で清潔な水槽〉の店員として生きることにする。コンビニの中なら、古倉恵子は客体化される女性や男性を喜ばすようないやらしい女などにならず、「男でも女でもなく店員」とみなされる中性として、自分の居場所を見つけることができる。また、「コンビニ人間」という言葉は作品中に一度も出てこないのだが、おそらく中性的な存在、あるいはクイアーな存在（前出、飯田「JunCulture：超域的日本文化研究」54項）として認めてもいい。つまり、村田沙耶香は現代社会に生きる女性たちが女であることへの違和感などを消滅させるために、自分が女性であることを否定して、というより、脇に置いて、自分の思う世界でいきなくてはならない、と促してくれていると考えられる。初期の小説の主人公たちがしたように。だが、『コンビニ人間』を機に、村田沙耶香は女であることへの不安から、現代社会に生きる人間への不安に一歩踏み出したと思われる。古倉恵子の経験が〈普通〉とは何かを考えさせるように、村田の次の長編『地球星人』（新潮社、18・8）は、現代社会における価値観、考え方などがどこまで正しいか、どこまで普通なのかを見直させてくれる作品である。地球上の〈普通さ〉を判断するのは奈月という女性である。彼女もまた、小さい頃にトラウマを受け自分が魔法少女であると思い込み、自分だけの世界に閉じこもる主人公なのだが、大人になると夫とセックスレスな夫婦としての日々をおくる。ただし、奈月も夫も、誰もが毎日同じ行動を強いられる巨大な蟻塚、あるいは巨大工場と見なす社会の〈正常性〉を疑問視している。社会の期待に応えられない奈月たちは、自分たちが宇宙人であると確信し、奈月のいとこである由宇を連れて山へ避難する。

しかし、一般社会と異なる視点を持つことが宇宙人であることを意味するならば、人間であるとは何なのだろうか。この小説では「違和感」は女性主人公と男性主人公の両方から発せられていて、まるで規範に適合しないことが実は男女を問わず感じられる不一致であるかのように描写されている。今までの村田の作品に既に登場していたいわゆるポスト・ヒューマン的な要素は、『地球星人』ではもっと強調されている。そして、人間であることは何を意味するかをより模索する作品はここから始まる。近年に出版された『変半身』（筑摩書房、19・11）、『丸の内魔法少女ミラクリーナ』（角川書店、20・2）、『信仰』（文藝春秋、22・4）などではまた、人間であることと、非―人間であることの対立は、以前の作品で触れられたテーマと混ざり合い、新たなポスト・ヒューマン的地平へ向かっているように思われる。「変半身」には、村田沙耶香のこれまでの作品との共通点がいくつもある。例えば、〈常識〉に疑いの目を向けながら〈正常〉と〈異常〉の境界線を破るストーリー展開。主人公たちが自分の身体、あるいは自分が囲まれている環境に対して違和感を抱く感覚。社会は大きな工場、または強大な蟻の巣のメタファーによって描写され、人はその社会のノルマに従って生活するしかしない〈異物〉のように扱われること。思春期の男子と女子の不安を煽るような行為をする大人たち、三人組になって行動する登場人物たち。「変半身」ではこういった要素が〈真実〉や〈信仰〉という概念と結び付けられ、〈ニンゲン性〉と呼んでもいい「人間〈ヒューマン〉」という観念を再考するために築かれていると考えられる。また、二〇二二年一二月に出版されたアジアの作家九人によるアンソロジー『絶縁』（小学館）に村田は「無」を発表。村田は〈無〉として生きている主人公たちを描くため、この作品を皮切りに〈人間性〉を再定義しているのではなかろうかと考えられる。

村田沙耶香作品の主人公たちは、小説という〈透明で綺麗な水槽〉の中で泳ぎながら、自分たちのユートピア的な居場所を探している。村田沙耶香文学は、問題を解決するのではなく、問題を提起する文学なのである。だが、彼女の作品が〈恐ろしい〉といっても、多くの文学賞受賞や彼女の小説の多くが外国語翻訳されていることが明らかにするように、村田沙耶香の国際的な成功は疑う余地がない。村田沙耶香の著作はシンプルかつ独特の辛辣な作風だが、普遍的なテーマを扱うからこそ好かれるのだろう。彼女の作品を読めば読むほど、我々読者は彼女の水槽の中に潜りたくなるのだ。

村田の作品を読んで「怖い」や「恐ろしい」などを考えても、その小説の中では主人公たちが現代社会の既成概念から解放されているため、その主人公たちみたいに自由に生きたくなったり、しかし、自由であることが怖くても経験をしたくなったりするから、その水槽の中に潜りたくなるのだ。

（イタリア・トリノ大学外国語文学及び現代文化学部助教）

『授乳』――〈私〉の世界のはじまり――

永井里佳

村田沙耶香を世界的作家に押し上げた『コンビニ人間』(16)や、『消滅世界』(15)もしくは『地球星人』(18)などを意識しつつ遡及的にデビュー作「授乳」(初出「群像」03・6、単行本『授乳』講談社、05・2に収録)を読みはじめるとき、微かに軋む音が響いてくる。「授乳」の「神経質な母」は家族に必ずスリッパを履くことを強いるし、「綺麗な二等辺三角形」のおにぎりの作り方は「工作」めいていて「変わっている」。母の料理は全ての材料をきっちりと計量した実験に似たものであり、「私」はそれを飲食しながら「不味くもないけど、美味しくもねえな」と思う。母を非難し得ると自認する「私」は、いわば〈変わっていない/普通〉の側に立っている。マニュアル化された行動様式や、性欲や生殖がコントロールされた近未来、地球の常識からの脱出を目論みて人間の進化を模索する世界……に棲む、後年の主人公達とは逆のベクトルを示しているのである。

母が「少女」のように「潔癖」さを保っていられるのは、人生を父に「支配」させて「父に寄生しているおかげだ」と「私」は考える。夫と自分の洗濯物を分けて洗い、洗濯が終わった後に何度も手を洗う母の「潔癖」さは、セクシュアリティや生活に伴う有機物の「汚れ」を排除することで成り立っている。しかし一面では、母はその「潔癖」な家政によって家族を支配しているともいえる(例えば父は、出張の際に母特製のおにぎりを「必ず」持って行かなければならない)。「私」が抱く母への嫌悪感を分解していくと、日常をコントロールしようとする支配者への反発と、同じ性を有する者がセクシュアリティを「汚れ」と取り扱うことへの苛立ちとに分けられるのではないだろうか。

その嫌悪感の「はけ口」として利用されたのが、母のルールである「スリッパ」を「すりぬけて」、裸足で家に上がってきた家庭教師の「先生」である。「私」は、「汚れ」のコントロールを通じて彼を支配しようとするのである。「先生」には「気配」というものがなく「無機質」で「青白」く、首筋や鎖骨などの「性的な部分」になると「青みが強くなる」。この作品においては色彩が効果的に使われており、生命力を赤色で、その希薄さを青色で象徴している。そんな「先生」の腕の傷から流れてきた血に「私」は生理用ナプキンをあてがって、赤色を覆い隠す。近年少しずつ風潮が変わってきているが、ナプキンは男性である「先生」をはっとさせて思わず下を向かせるような、女性性の象徴としてある（村田の『しろいろの街の、その骨の体温の』(12)にもナプキンを男子から隠そうとする思春期女性が描かれている）。その後も、治らない膿んだ傷の手当てを繰り返すことによって「私」は彼を「手なずけ」ていき、「先生」は授業中に蛾が舞い込んできても身を強張らせて「私」の様子を伺うことしかできないでいる。「私」は蛾を潰して「先生」の顔に擦り付けてから、その汚れを綺麗に拭いとってやり、「駄目な子ね、こんなに汚して」と嘯く。子ども、特に乳幼児は清潔さを自力では保てず、庇護者に依拠しているものである――「汚れ」を意のままに操る母的存在に自分をなぞらえることは、「私」を強者の立場に立たせるのである。

子どもの頃の「先生」は両親の痴話喧嘩の犠牲となって近所の神社に捨て置かれる経験を何度もしており、未だに〈子〉であったときの経験から解き放たれていない。そのことを知るに及んで「私」は彼に「ゲーム」を仕掛ける。それは「腐った女」の証明である乳房をくわえさせるという〈授乳〉を模した遊戯を通じて、「私」の立場を再確認していくものだといえる。授乳とは子を生存させる営みであり、即ち子の生殺与奪の権利が母に付随することを如実に示す行為である。「私」は架空の乳を与えることによって、「先生」の属性を「無垢」な「幼児」へと変容させて男性としてのセクシュアリティを無化しつつ、支配を強めるのだ。それは二度目の「ゲーム」の最中に、母が状況を察知して部屋に踏み込んできたときも変わらない。「私」は「先生が、勝手に」やったのだと全ての責任を彼に押し付けて〈先生＝子〉を切り捨てる。逆説的に言えば、〈子捨て〉ができるのは親なればこそであろう。出来事ののち「先生」は二度と「私」に会うことはなくなっていて、社会的にも何らかの制裁を受けたことが想像される。「私」は「ゲーム」を超えた現実世界において〈子捨て〉を行い、「先生」への支配を完成させたのである。「私」は「汚れ」をコントロールし、母が忌避する（ようにみえる）「腐った」女性性を梃に母的存在に成り代わった。〈子〉の行動を統御する強者の立場に立つと同時に、女性のセクシュアリティが纏わされている劣性を転倒させることで、「私」は母への抵抗を試みたのだといえるだろう。

「授乳」中の部屋に「母」が突入したときの様子は、「母からにょきにょき『母』が生えてきた」、「私は母の健全さに打ちのめされた」と描かれている。これは一見、「圧倒的に健全な女性性」による「私」の世界の「崩壊」[注]であるように見える。しかし、母の「健全」さとは一体何だろうか。彼女は家族の生活を「潔癖」で取り巻いてはいても、父との関係性を転覆させようとはしない。そして娘のセクシュアリティが〈常識〉の枠をはみ出すかに見えたときには、それを押しとどめた。言うなれば母は女性性を常識的に使っているだけである。「潔癖」を維持しようとするのも、ルールの枠内に自らを閉じ込めて過剰な情動が発露してしまうのを阻止するためであって、〈常識的＝健全〉に生きるための生存戦略の一つと読み換えることができるだろう。

しばらく後のある朝、「私」は朝日の白い光に「母の背中」を連想して、さらに「ふくらみかけた乳房」を見透かされているように感じて、母の寝室に入る。そこでは黒い蟻がパジャマの上から母の乳房に這い上っていて、気がつくと「私」は蟻を「踏みつけていた」。蟻は死に、足に伝わってくる母の鼓動の感触に抵抗するために「さらに足に力をこめ」た。ここにおいて「私」は母が象徴する「健全」さを踏み越える。「変わっている」と思われた母は「健全」の中に取り残され、「私」は〈変わっている／いない〉の境界線の超越へと進み出すのである。

単行本同時収録の「コイビト」（『群像』03・12）では、ハムスターのぬいぐるみを愛撫している間だけ生の実感を得られる「あたし」と、やはりぬいぐるみのオオカミと「肉体も魂もひとつ」になるために〈心中〉しようとする小学生の美佐子が出会う。「あたし」は「狂人」であることを家族に隠して生きてきたが、美佐子は周囲に人がいてもぬいぐるみへの愛を隠さず、まるで「自分が狂人であることを誇示している」ように見える。「あたし」は美佐子の中に「あたし自身」を見出して嫌悪感を抱くが、ここには「狂人」になりゆく自分と、それを裁く自分との間の揺れが示されているといえるだろう。

後年の『消滅世界』では近未来的な世界全体が過去（＝読者が生きている現在）の〈常識〉を捨て去る実験を行っている。その中での「私」は人との／人以外の存在との恋愛やセックスの在り方を追求して、自らの感覚を手放すことなく世界と向き合う。村田の初期作品においては、社会の枠組みに収まり切れない〈私〉の世界はまだ小さなものであるが、大きな世界と対峙する存在へ飛躍する可能性を秘めているといえるだろう。

（大東文化大学他非常勤講師）

注　「解説」瀧井朝世（『授乳』講談社文庫、10・4）

『マウス』——教室内カーストと役割の魔力——松下優一

小学五年生の始業式のクラス替えの場面から始まる『マウス』（講談社、08・3）が立脚するのは、学校の教室内で形成される生徒間の地位の差、いわゆる〈教室内《スクール》カースト〉の世界である。「気鋭の作家『子供小説』相次ぎ発刊」との見出しで、西加奈子『まく子』、青木淳悟『学校の近くの家』などを取り上げた「日本経済新聞」（16・2・16・夕刊）の文芸時評には、「小学生を主人公とする村田沙耶香さんの小説『マウス』（08）を読み、スクールカースト（教室内の見えない格差）に興味を持った」との青木淳悟の談がある。青木は、学校の近くの家に住む小五の少年の視点から、とくに大きな事件が起こるわけではないのに、どこか不思議な様相を呈する学級の日常を描き出したが、『マウス』はその先行作品に位置づけられる。鈴木翔『教室内《スクール》カースト』（光文社新書、12・12）によれば、この語が使われ始めるのは二〇〇〇年代半ばのことで、クラス内のランク付けが描かれるフィクション作品は、朝井リョウ『桐島、部活やめるってよ』や安野モヨコ『花とみつばち』など数多あるが、小学生のそれをテーマとした作品は少ないという。

小説の語り手「私」＝田中律は、クラス替えを「憂鬱な気持ち」で迎え、「賑やかな集団にうっかり話しかけられてしまわないよう、素早く俯いて、私は内気な女子です、と無言で訴えながら、なるべく目立たない場所へと移動」するような子で、「最初がとても肝心で、同じ匂いのする女の子同士で早くつるまないと、徐々に大変な面倒を抱え込んでしまう」と思っている（引用は講談社文庫版による）。そして、一段落すると教室内を観察し、「一番、クラスで権力をもっているのが、早野さんという女の子を中心としたグループ」、「少し下に、にぎやかな女の子たちのグループが二つ」、「私達は『真面目で大人しい女子』の三人組」、「私達と同じくらいか、おそらく少し『下』に見られる場所に、二人組の女の子」という具合に、生徒間の序列・権力関係を把握する。スクールカーストの鋭敏な解読者である彼女にとって、教室は、「『真面目で大人しい』と『きもい』の境界線はとても曖昧なので、私達三人は、そう思われないように細心の注意を払っていた」というように、常に周囲をうかがい、高度な自己コントロールを要求されるような空間である。そんな彼女の前に、周囲から露骨な嫌悪を示され、「評価もされない異物」、「圧倒的な異端者」として登場するのが、塚本瀬里奈である。背は高いが、些細なことで泣き、耳を塞いで沈黙し、その度にクラスの活動が滞るがゆえに、ずっと疎まれてきたようだ。

　塚本瀬里奈は、「私がこんなに必死だというのに、彼女にはざわめきすら届いていないようだった」というように、たえず教室内の序列関係を読み、自己のふるまいを調整する律とは対照的な存在である。スクールカーストを〈過剰に意識する者／しない者〉という対照的な二人の関係を軸に『マウス』の物語は展開される。とくに読みどころとなるのは、①『くるみ割り人形』の物語によって瀬里奈が劇的な変身を遂げるという展開と、②後半部で大学生になった「私」が瀬里奈と再会し、小五の時空間を相対化する対決の場面だろう。

　瀬里奈はひとしきり泣くといつも教室から姿を消すのだが、それを尾行した「私」は、旧校舎の女子トイレの清掃用具入れの中に閉じこもっているのを発見する。「灰色の部屋」なる静謐な世界を想像して落ち着くのだという彼女に対し、「私」は「子供みたい」「つまんない」と言って、別の世界を教えようとする。そして、「用具入れの中に入っていく塚本瀬里奈の姿」から、洋服ダンスの中から異世界へ旅立つ『くるみ割り人形』のマリーを連想し、図書室で本を借りてきて読み聞かせる。すると、会話もままならなかった瀬里奈は、突然「ねえ、ここにしばらくいていいかしら?」とマリーの台詞を発し、「表情もまるでいつもと違ってしまって」、「不思議な世界にたどりついたばかりというふうに」ふるまい出す。その変容に怖くなった「私」は逃げ帰るが、それから瀬里奈は、まったく泣かなくなり、声は大きくなり、ふるまいは威厳を備えていく。クラス内での扱いも変化しはじめ、新学期になるころには早野さんに気に入られ、最上位グループとともに行動するようになる。律たちの目にはそれが「出世」と映るのだった。こうしてカースト外的な存在が教室内で地位を得ていくわけだが、その際瀬里奈は『くるみ割り人形』のマリーになっている、というのがポイントである。P・L・バーガー(水野節夫ほか訳『社会学への招待〔普及版〕』新思索社、07・11)によれば、「役割は、個人が特定の状況でどう行為すべきかを指示するパターンを提供」し、「ある種の行為やそれに付随する感情、態度」を備えている。状況にふさわしいふるまい方を示すと同時に、それを演じる者にふさわしい内面を生成するのが、役割の力である。瀬里奈は物語の登場人物の役割を取得することで、学校の教室という特殊な社会的世界にはじめて身を置くことができるようになったのだ。興味深いのは「私、思うんだけど、マリーはきっと、お菓子の都へ行った後、どんどん威厳を備えて、すばらしい女王になっていったのよ。迫力があって、強くて、正義感が強くて、皆を従わせるの」と語る瀬里奈と、「あの可愛い優しいマリーがどこをどう読めばそうなるのか」と思う「私」の解釈がズレていくことである。「瀬里奈の中でマリーが育ってきているのを感じ」た「私」には、それが「途方もなく危険なこと」のようにも思えてくる。虚構存在が瀬里奈に受肉していくその危うさが、前半部の読みどころといえる。

　フィクションの登場人物を演じ、教室の人間関係に位置を得てしまう瀬里奈が示すのは、役割演技という観点からみれば社会的役割と虚構の役割のあいだに本質的な差異はないということだろう。役割と変身のテーマは、小説の後半部、女子大生になった律の生活が描かれる際に再び前景化される。「人と話すのが苦手な私が、『職場』という空間では、不思議とすらすらと言葉を交わすことができた」、「ここが学校と違うのは、『仕事』という大きな役割が据えられているという点だ。ただの田中律ではなく、店員としての田中律になることで、私は驚くくらい、大きな声を出し、活発にうごきまわり、顔色を窺わずに周りとコミュニケーションがとれるのだった」。まるで「魔法にかかったみたいに」、である。だが仕事上の役割を離れると、小学生時代と本質的に変わらない「私」であることが示唆されてもいる。美しく成長した瀬里奈と再会し、再び交流が始まるが、外出時に必ず『くるみ割り人形』を読み、「ずっとマリーだった」と打ち明ける瀬里奈もまた小五の世界を引きずる者である。その囚われから、二人がいかに離脱するかが、後半部の読みどころとなる。

　また、作中引用されるＥ・Ｔ・Ａ・ホフマン『くるみ割りとネズミの王さま』（上田真而子訳、岩波少年文庫）との関係で本作を読むこともできよう。瀬里奈の姿形は、「おもちゃの人形」、「力なく身体から垂れ下がった両手と両足は奇妙なほど長く、風が吹いたら絡まってしまいそう」、「だれかが紐を引っ張ってくれるのを待っているかのよう」というように操り人形に擬えられ、律は「臆病」で「私は、ネズミ」という台詞もある。ホフマンの作品自体、親友の子供たちに語り聞かせたもので、マリーという主人公の名はその末娘の名である。もとより物語の聞き手が、登場人物になるという経験を孕んだ作品なのである。瀬里奈を変身させたのも、物語を読み上げる律の声であった。「彼女が耳を塞いでもその隙間から物語が入り込んでいくよう、声をはりあげた。トイレの中に私の声が反響した。（中略）自分でも不思議なくらい喉が湿っていて、なめらかに声が出た」。瀬里奈も、「あのときの律の声は、すごくすんなり身体の中に入ってきた」と振り返っている。魔法は、物語を賦活する声に宿っていたのかもしれない。

（法政大学兼任講師）

「ギンイロノウタ」

――ギンイロのステッキが向く先は――

栗山雄佑

「ギンイロノウタ」は、「新潮」二〇〇八年七月号に掲載され、同年一〇月に「ひかりのあしおと」と共に単行本化、二〇〇九年に第三一回野間文芸新人賞を受賞した。両作品の主人公は、学校をはじめとした社会に極度なまでに順応できない、「とにかく、大人しくて不器用な」（村田沙耶香「受賞の言葉」「群像」、10・1）女性であり、彼女の母親もまた極度なまでに男性＝夫の歓心を買うことに腐心する人物として描かれている。このような状況の中で、両作品の主人公は、自らに芽生えた〈性欲〉を暴力的な方法で奏でようとする。このような女性の〈性欲の演奏〉を単なる〈自慰的行為〉として裁断することは可能なのか。本稿は、このような観点から「ギンイロノウタ」に着目して小論を記したい。

冒頭から、「ギンイロノウタ」の主人公である有里は、生まれたときから「舌をもつれさせ、振動しながら不安定に上下し、それでも相手にからみつこうと、治まることなく続く自分の産声」（90頁）を発していた人物とされる。この有里の発声のままならなさは、作品全体を通底する問題として描かれていく。ただ、作品において有里に突きつけられているのは、声の発声・交換を基にしたコミュニケーションの場に対する不適合だけではない。彼女を「陰気な子」（91頁）と周囲に吹聴し、かつ事あるごとに夫の怒りを生み出す〈モノ〉として罵倒する母親―「アカオさん」、「人見知りなんて言葉に甘えていたら、ろくな大人になれないぞ。自分の殻にとじこもっちゃだめだ、外に出ないと！」(150頁)と、強制的に帰りの会で「土屋の五分間即席スピーチ」を行わせた中学三年生時の担任であった赤津、このような人物が求める社会への〈順応〉とは、有里に家庭内における父親からクラスメイトといった他者、特に男性の〈目玉たち〉に自らを晒すことを強いるものである。この〈目玉たち〉に自らの身体を晒す、という行為であるが、ここに有里の考える〈性欲の演奏〉が組み合わされたとき、周囲の人物と有里の齟齬が生じていく。

　有里は、「魔法使いパールちゃん」というアニメにて、パールちゃんが魔法に失敗し服が脱げ「胸元を隠した彼女の周りに、大勢の男性が群がる絵」を見た際に、「始めて憎らしく思」い浴室の鏡に映った「青白い皮膚にあばら骨の形が浮き出ていて、子供らしいふっくらとした体つきですらない」身体を見ながら「(まだなってないだけ。なってないだけだ)」(111～112頁)と考える。その後から、彼女はチラシなどから男性の目玉だけを切り出し、子供部屋の押し入れの内に貼り付けていく。その上で、「腿に力をこめ、組んだ足を締め上げると、銀色の魔法の星屑が身体の中を駆け抜け」、「腿を前後に動かしながら、力をさらにこめて強く足をしぼると、急に、体中の水分が炭酸飲料になったような感覚」(115頁)を覚える。このような多数の男性の〈目玉〉を夢想し自慰的行為を行うという欲求は、第二次性徴が始まり月経が訪れることで、「身体が女のかたちにふくらんで、そうしたら、服を脱ぐだけで本物の目玉たちが私を食べる」(128頁)といった男性との性交を行いたい、との願望に発展する。

　ただ、この有里の欲望と小中学校における〈男子〉にある〈女性の性〉の認識は決定的な齟齬をきたしている。例えば、五年生の時に男子たちが女子の着替えを覗いた云々で騒いでいたとき、有里が「私、別に恥ずかしくないから、見せてあげるよ」と持ちかけた際、男子の一人「井岡君」は「土屋さんのは、やだ」「なんか気持ち悪いから」(130頁)と拒絶する。また、上記の件以降自らを「誰よりも私を安く売るんだ、そして誰よりも喜ばれて見せる」(133頁)と誓い、中学生時に「本の好きな真面目な女のふり」をして図書室にいた有里は、「茶色い髪の三年生の集団」の「そういう女って、すっげ簡単なんじゃね?」(134頁)という認識から生まれた一人の男子の誘いに乗り、自らを〈安売り〉する。しかし、彼女は「色々な種類の、女性の肉体の操作説明書」に沿った先輩の操作に反して、「自慰をするときのように、右足を左足にからめ、しっかりと腿を閉じて」(139頁)しまい、彼に「やらせねーなら、帰れよ、お前」と追い出されてしまう。

ここに挙げた二つの経験が意味するものは、有里が思い描いていた「本物の目玉たち」に身体を食べられる、という行為が、自らを抑圧してきた母親と同様に、男性が持つ〈女性らしさ〉なるジェンダーロールを演じることによって達成できるものであることの発見であった。そのためには、有里は〈性に奥手な女子〉を演じ、あたかも「テレビゲームのコントローラー」を「連打」するかのように女性器を刺激する先輩の〈操作〉に喜ぶ〈普通の女〉を演じなければならなかったのである。さらに、後者の先輩が求めていたのは、自身の男性器を有里の女性器に挿入する性器結合的性愛(松浦理英子『やさしい去勢のために』筑摩書房、94・9)であって、有里が行う「未熟な膣」にステッキを挿入するのではない「硯で墨を磨るような静かで清潔な行為」(147頁)は、彼が〈遵守〉する一般的な「女性の肉体の説明書」には掲載されていない性的快楽《オーガズム》の会得方法であり、双方には大きな齟齬があったのだ。そういった性器結合を最終目的とする性交への欲望に「目玉たち」は結びついていたのであって、この時点で彼女の肉体は、平面の〈目玉たち〉とステッキがもたらす魔法――〈自慰〉に充足するあまり、実体を持つ〈目玉たち〉が求めていた「セックスする肉体」から逸脱した「不良品になっていた」のだ。

このような有里の性欲の不充足は、赤津によってステッキを奪われたことによって変質する。ステッキを奪われた有里は、その後「外の世界が私に入ってくる」(158頁)衝動を抑えるために、赤津をあらゆる手段で殺害する妄想をノートに書き付けていく。その妄想は高校生になった有里が、ふとしたきっかけで赤津が交通事故死したことを聞いたことで、「銀色の扉」（197頁）を開けたい、といった衝動に変わる。その手段として、有里が到達したのは新たな銀色のステッキ＝ナイフで、「標的の身体の中」にある「銀色の扉」を開き、「扉の向こうへ踏み出さなければならない」（209頁）という。結論を先んじれば、この有里の衝動は叶うことはない。一方で、有里に到来したナイフや〈勃起〉した手がもたらす暴力的な「銀色の扉」の開扉がもたらした「音のない世界」（217頁）とは一体どのようなものなのか。

勿論、それは〈目玉たち〉の性欲をひたすら受容するという〈女性的〉肉体から、ナイフや〈勃起〉した手という比喩にある、暴力を行使する〈男性的〉肉体への変質を意味するものではない。自閉的な〈自慰〉空間から暴力的な他者侵犯へと、極度に振れていく有里の欲望の推移の中で、性器結合的性愛に帰結する他者とのコミュニケーションの有り様が、いかに有里のような人物を苛んでいるのか。ここに単行本に同時収録された「ひかりのあしおと」、後年の「しろいろの街の、その骨の体温の」（朝日新聞出版、12・9）など他作品とも連動する、女性による〈性欲の演奏〉が、異性同士の性器結合的性愛と齟齬をきたしながら切り拓く新たな〈性愛〉の模索のあり方が示されていく。さらに、その行為が言語コミュニケーションを基盤として構築された〈音の世界〉において、いかに暴力的な行為として忌避されてきたのか、有里の〈性欲の演奏〉が開いていく「音のない世界」がいかなる局面をもたらすのか、といった課題もまた問いかけられているのだ。むろん、この問いかけは、女性にのみ向けられたものではない。性器結合的性愛を疑わず「女性の肉体の操作説明書」を夢想し、自閉的な〈性欲の演奏〉に終始する〈目玉〉の持ち主達にも投げかけられるものである。（本文引用は『ギンイロノウタ』新潮社、08・10に拠る。）

（佐世保工業高等専門学校　基幹教育科講師）

「星が吸う水」

——性的マジョリティを下支えするマイノリティ——

片岡美有季

短篇「星が吸う水」（「群像」09・3）は、自らの「性的指向」を「制作中」の、二九歳の鶴子の視点で語られる。本稿では、ジェンダー／セクシュアリティに関わる規範意識の解体が試みられているこの小説において、旧来的な価値観と認識が反復・再生産されている様相を主に三つの観点から分析する。第一に、鶴子の性欲の表象について、第二に、再生産から二重に疎外されている鶴子の身体表象について、そして最後に、アセクシュアル及びアロマンティックの志保の描かれ方についての批評的な分析を試みる。

鶴子には「一応恋人ということになっている」武人という「セックスのパートナー」がおり、二人は「性的嗜好」の面で「相性」の良い存在として描かれている。武人は自身を「インポ」と語る。精液を「出す」ことよりもペニスを「刺激する」方が好きなのだが、勃起しないとセックスが始まらないことへの焦りや、女性から射精を強要されることが、武人を「インポ」にしてしまう。したがって、自分の快楽を得ることだけに精一杯になってしまう鶴子との性交では、武人はむしろ「安心してすぐ抜ける」。武人の快楽が「抜く」という言葉で語られるのと同様に、鶴子のオーガズムも射精の感覚として男性の身体的快楽を表現する「抜く」という言葉で捉えられている。ただし、鶴子が膣に男性器を挿入するのは、あくまで騎乗位という「体位」で男性の腹に自分のクリトリスを当て擦るのに都合がいいからに過ぎず、性器の結合は副次的な行為でしかない。こうした二人の性交のあり方は、性器結合主義や膣オーガズムを自明視する性規範を相対化する視座から描かれているといえる。

このように本作を女性の性欲表象の観点から読むとき、性器の結合を二次的なものと捉え、鶴子のオーガズムを射精の感覚になぞらえて表現している点については、新しい描き方がなされていると見ることもできる。たとえば、アン・コート「膣オーガズムの神話」をはじめとして、七〇年代初期のフェミニズムの議論では、男性中心主義的かつ、性器結合主義的な性交を批判する文脈で、膣ではなくクリトリスによるオーガズムを推奨する議論がなされた。それを踏まえれば、「星が吸う水」には、これまでのフェミニズムの議論の蓄積を読み込むことができる。とはいえ、女性の性欲の表象が男性の性にまつわる言説で語られる新しさの裏には、危うさもある。鶴子の性欲は〈溜まるもの〉としてイメージされ、オーガズムは精液になぞらえられているが、これは近代の性科学言説において長らく、男性の性欲が精液との結びつきにおいて語られ、性欲が身体内部に溜っていくものとして捉えられてきたことに基づいている。つまり鶴子の性欲の表象は、通俗的な性科学言説の枠内にすっぽりと収まってしまうのだ。作中では「凝り固まった性概念の一部とされるのが鶴子には我慢できなかった」と語られるが、むしろ「凝り固まった性概念」や「性の理論」に「汚されてる」ことに無自覚な鶴子の姿が浮かび上がるのである。

次に、鶴子の労働をめぐる問題について考える。チェーンのレストランの店長をしていた鶴子は、「体力とストレスの限界」で退職する。過重労働に耐えようとする鶴子の姿は、「ブラック企業」という言葉が普及し、過労死やいわゆる長時間のサービス残業が社会で広く問題化され始めた二〇〇〇年代の状況と重なる。しかし重要なのは、鶴子の身体の表象において、二つの疎外が労働と性というキーワードで接合していることである。長時間トイレに行くことのできない職場で、鶴子は月経時の「下腹を支配する鈍痛」を回避するためにピルを服用する。それにより痛みも経血量も減り、鶴子はその変化を「本当に有難い」と思う。ところが、ピルによって働きやすい身体を得たことは同時に、妊娠しない身体になったことを意味しており、過重労働によって退職を選択せざるを得なかった鶴子は労働による生産性からも、性における再生産性からも疎外された身体として表象されている。すなわち、労働者としての女性の身体と、妊娠・出産を行う女性の身体が両立しえないものとして描かれているのだ。

さて、鶴子には学生時代からの二人の友人がいる。その一人である梓は、性別を二元的に捉え、異性愛主義的思想のもと自分を「高く売る」ことに躍起になっているため、鶴子のことを武人に「利用」されているだけの女性、あるいは武人にとっての「都合のいい女」としてしか捉えていない。他方、もう一人の友人の志保は「恋愛感情や性欲を持たない体質」、つまりアセクシュアルでアロマンティックである。だが、鶴子は性欲や性的な肉体関係を自明のものと捉えているがゆえに、志保が「性的指向」を持たないことを「無という形の性的嗜好」、すなわち性欲を持っていることを前提とした上で性における好みの問題として捉えてしまい、セクシュアリティの問題として焦点化されることはない。

このように鶴子と梓、志保のありようを分析すると、この小説が性差を二元的に捉える思想と異性愛ヘゲモニーとを、三者の視点から問題化しようとしていることがわかる。一つめの視点とは、性別二元論に基づく異性愛主義的な性規範の枠組みの内部で、「女性」として生き残ろうとしてもがく梓の挫折である。もう一つの視点とは、男女の性的非対称性が女性にもたらす様々な弊害を、男性の仕方を模倣することによって乗り越えようとする鶴子の葛藤である。そして、この二つの視点を超越するかたちで示されているのが、アセクシュアルかつアロマンティックである志保の視点である。この小説では志保の存在によって、梓や鶴子のセクシュアリティが相対化され、三者の性のありようをスペクトラムの連続性のなかで捉えることが試みられている。

だが、その試みは果たして成功しているといえるだろうか。志保は、自分のことを「只の星の欠片」と思えば地球上の様々な「決まりごと」が「朧げなもの」になると語る。そして、自分の「感覚と地球の上の色んな決まり」のいずれが「幻想」なのかわからない、という。志保のこれらの言葉は、女性の性をめぐる既存の社会規範を相対化する視座を与えるものだ。そしてそれは、本作が一貫して問題化しようと試みてきたテーマでもある。しかし、こうした志保のありようが、恋愛や性欲、性的な肉体関係を前提とする他者に寄り添い、歩み寄る存在として描かれていることには留意が必要だ。志保は梓の「背骨」や「背中」を繰り返し「さす」るだけでなく、鶴子のように「こっちのほうが、景色いいかも」といって自らの視点に立つことを強要する他者に歩み寄る。いっけんセクシュアリティのスペクトラムの連続性のなかで、志保のセクシュアリティの位置づけが試みられているように見えるが、しかし結局のところ、志保は異性愛や性欲を前提とする他者を下支えする存在であり、連続性のなかではなく超越する存在として描かれるにとどまっている。小説の最後、鶴子が「立ちション」をする場面では、志保に借りたサングラス越しに鶴子が「藍色と光の絡み合う粒」を見る。「藍色」とは、志保がふだん見ている世界だが、その「光」は果たして志保にとって希望的なものとなりえるのだろうか。そこから先の三人は描かれてはいないが、「性的指向」を「制作中」の鶴子が「光」を見たことには希望が持てるのかもしれない。

以上の読解を通して明らかになったのは、「星が吸う水」における女性の性のありようの新しさと、旧来の価値観と認識の反復と再生産が暗黙裡に行われていることの危うさであった。小説が発表された二〇〇〇年代前半は、日本においてジェンダー／セクシュアリティの議論が社会に共有され始めた時期でもある。そうした意味では、「星が吸う水」は時代の趨勢を素早く捉え、規範意識の解体に挑戦した小説といえるだろう。

（弘前大学　助教）

『ハコブネ』――女性たちの〈性〉の模索、「箱舟」に乗ることの意味――押山美知子

『ハコブネ』(集英社、11・1)の文庫版(集英社、16・11)の「解説」を書いた市川真人は、本作について「三人の女性の物語」であり、「性的な自己認識を軸にすれば「女性ひとりと、第二次性徴をやりなおしている性別不詳ひとり、それから無性あるいはテラ(地球)を性の対象とする者ひとりの物語」ということになる」と述べ、「そのように分類を増やしてゆくことは、言うなれば分類そのものを無効化し無意味化することであ」り、村田沙耶香の小説は、「デビュー作である「授乳」(〇三年)からずっと、そのような問い返しと攪乱に満ち満ちている」と評している。確かに、村田作品は社会通念や主流の価値観に対する違和感や疑問を扱ったものが多く、『ハコブネ』もその例に漏れず、「性の違和感みたいなものをとことん書いてみようと思った」とは、作者自身のコメントである(「特集 村田沙耶香『ハコブネ』」、「青春と読書」11・11)。村田は『ハコブネ』の創作意図に関して「性の悩みを抱える人たちにとって、その違和感を言語化することに意味があるのではないかと思った(中略)過激なかたち、表現であっても、それを言語化することで誰かが救われるんじゃないかという思いもあって」、「最終的には性という問題にとらわれず、いろいろなものから解放される感覚を書いてみようと」したと明かしている。

その「解放される感覚」について、小池昌代は次のように否定的な見方を提示した。

> 性があるのは不自由でしょうがないから、多くの女は知佳子に期待しちゃうんですよ。それだけに、アー

スの表面と一体になって、星に指を入れてどうのこうのといわれても、ただ知佳子が地面の上に倒れただけじゃないかと、ふっと現実にかえってしまうわけです。バタンと倒れて、それのどこがセックスなんだという。もしこれが本当に村田さんが無性として地球と交合したというのをもっと生々しく書いてくれたら、私は解放されたと思うんですが、解放されなくて、最後、ウーンという何かが残ってしまったんですね。（藤沢周・小池昌代・山城むつみ「第四一六回創作合評」「群像」10・11）

小池に「解放されなくて」と捉えられた知佳子に関する村田の見解は、「知佳子は一人で楽しそうに伸び伸びと生きています。男性にああして欲しい、こうして欲しいという不満や要求からも解放されている。人間という枠組からも解放された存在」（村田・前掲インタビュー）といったものである。つまり、書き手の村田と読み手の小池で、知佳子の「解放」に対して正反対の捉え方がされているのだ。知佳子の「解放」については、黒岩裕市も小池と同じく知佳子が「アースとセックスをする」場面を挙げて、「「物体感覚」によって地表と一体化しているというのであれば、土を握りしめたとしても、「まるで手を繋いで眠る恋人同士のようだ」というイメージにはなり得ないのではないか。しかも、知佳子の目線で「恋人同士」と「ヒト」にたとえられている。換言すれば、最後の最後で脱ぎ捨てたはずの「人間としての肉体感覚」が奇妙に参照される展開になるのである。つまり、知佳子自身が「星になってどこまでも続いていた」というほどには、知佳子は「人間」を脱ぎ捨ててはいないのではないか。その「肉体感覚」が「性別」を形成するものとしてこのテクストではとらえられていたことを想起すると、知佳子はどれだけ規範から「解放されてしまっている」といえるのだろうか」（黒岩裕市「「性別」を脱ぐ、「性別」を着込む　村田沙耶香『ハコブネ』とジェンダー規範」（「現代思想三月臨時増刊号」19・3）と疑義を呈している。「アースとセックスをする」ことに辿り着く知佳子とは異なり、「身体の実験みたいなこと」を「繰り返し」続けている里帆について、村田が「きれいごとで救われるよりは、揺らいだままでもいいのではないか」（村田・前掲インタビュー）と述べているように、「解放」はされていれば良く、されていなければ悪いというものでは全くないが、「解放」をルールや価値観などの束縛から解き放たれ自由になることと定義するならば、『ハコブネ』の里帆、知佳子、椿という三人の女性登場人物は、〈女性〉に纏わる性的規範から三者三様のやり方で「解放」を志向し、各自のレベルでそれが成し遂げられている存在なのではないか。それは、「箱舟」とそれぞれの関わり方を見ていくことで、浮かび上がるように思われる。

そもそも、『ハコブネ』に出てくる「箱舟」とは何を意味しているのだろうか。本作で最初に「箱舟」という語句を口にするのは椿である。「新しいセックスの方法を開発して性別を脱いでセックスできるようになれば、苦しみから解放される。皆でそれを広めていけばいいじゃないですか」と言う里帆に、椿は「誰も乗らないノアの箱舟。誰も後ろについてこないハーメルンの笛吹きね」と突き放す。その言葉にショックを受けた里帆は「あの自習室で、船で、どこか遠くの、自由な場所に漕ぎ出したつもりだった。私にとって、ノアの箱舟だったんです」「苦しい人を、新しい世界に連れていけると思った。でも、誰も乗らないノアの箱舟、誰も後ろについてこないハーメルンの笛吹きだって、相手の人に言われました」「…結局、新しい世界に漕ぎ出す船なんて、どこにもなかった」と知佳子に打ち明ける。ここで椿と里帆の間で共有された「ノアの箱舟」とは、主流の価値観とは相容れない独自の価値観を持つ人を救い出し、現状マイノリティに位置づけられる存在をマジョリティへと転換し得る新天地に誘う乗り物といったイメージとして捉えられる。『旧約聖書』の「創世記」に登場する「ノアの箱舟」は、大半の人間が神に背き堕落する中で、「神に従う無垢な人」であり「神と共に歩んだ」（新共同訳、六章九節）ノアというマイノリティが、神の思し召しで一族と共に箱舟に乗ることを許され、地上の全ての生き物を滅ぼすために神がおこした洪水から免れて、新たな土地で繁栄する物語であり、椿と里帆の「ノアの箱舟」イメージは、そのような「ノアの箱舟」解釈に基づくものだろう。自分の性別が「よくわから」ず、「第二次性徴のやりなおし」を望む里帆にとって、男装して「自分の性別を探す」ための試行錯誤ができる「自習室」は、将来的な可能性を垣間見せてくれる希望に満ちた乗り物――「ノアの箱舟」であった。

しかしながら、「創世記」の「ノアの箱舟」は、マイノリティであったノアに神の救いの手が差し出される物語であると同時に、ノアと神との関係がより強固に結び付けられ、ノアにとっての神が絶対的な価値基準となる側面を有している。ノアは「神に従う」人であり、資材や大きさ、構造など全て神の指示通りに箱舟を建造し、「すべて命あるもの、すべて肉なるものから、二つずつ箱舟に連れて入り、あなたと共に生き延びるようにしなさい。それらは、雄と雌でなければならない」（新共同訳、六章十九節）という命令にも忠実であったからこそ箱舟に乗ることが許され、生き長らえて繁栄できたのである。「箱舟」の乗員になるには、ルールに従わなければならない。そのルールの一つが「雄と雌」であることであり、更に言えば番いとなって生殖する者となることなのだ。「ルールが厳しい」「自習室」という「箱舟」に乗り込んだ椿、里帆、知佳子の三人は、いずれも当初は番いとなるべく努力するが、「子供を産むための道具」＝嫁になることを拒否する、クッションや「アース」という星と「セックスする」等、それぞれの形で「雄」と番いになって生殖し、子を産む「雌」にならない道を選んでいる。本作の「自習室」は、その名の通り自習をとおして個々人が自身を規定する性に纏わるマイルールを見出し得る場として捉えられ、現代版の「箱舟」＝「ハコブネ」のあり方を提示していると言えるかもしれない。

（愛知淑徳大学助教）

『ハコブネ』——洪水後を生きる——

西井弥生子

『ハコブネ』（集英社、11・11、初出「すばる」10・11）は「里帆・1」、「知佳子・1」、「里帆・2」、「知佳子・2」、「里帆・3」、「知佳子・3」の六章から構成されている。先行論には、黒岩裕市氏の「「性別」を脱ぐ、「性別」を着込む　村田沙耶香『ハコブネ』とジェンダー規範」（『現代思想』三月臨時増刊号、19・3）がある。同氏によれば、村田の小説はジェンダーやセクシュアリティの面で〈ココ〉にはない何かを目指すものとして評価される傾向にあり、『ハコブネ』についてもそれを当てはめることが可能である。そして、ジュディス・バトラー『ジェンダー・トラブル』（90）をめぐる議論（ジェンダーが「衣服を着替えるように、自由自在に着脱可能なものであると解釈」）から『ハコブネ』のジェンダー規範、「性別」を脱ぐ、着込むという発想が捉え返されている。そのような視点を継承しつつ、拙論では「性別」を脱ぎ着する（に相応しいと主人公が考えた）「自習室」という場、〈ハコブネ〉の表象を探ることにする。シェルターという〈ハコブネ〉のイメージを現代文学に遡れば、安部公房『方舟さくら丸』（84）にいたる。「もぐら」と呼ばれる主人公は、採石場を核シェルターである船（方舟）と妄想し、それに相応しい乗組員を選別するも、出航前に破局する。『ハコブネ』はノアの箱舟という物語をどのように解体、再創造するであろうか。

「里帆」の章では、「肌に直接触れられた瞬間にセックスが拷問に変わってしまう体験を、もう何度も重ねてきていた」、「性行為が辛」いという佐山里帆《さやまりほ》（一九歳）のひりひりした感覚が描かれる。自分の意志で第二次性徴を成功させるために、ウィッグと「胸の膨らみを押さえるための、伸縮性の強い素材の黒いタンクトップ」をかぶり、「他者との関わりがなくて、それでいて他者がたくさんいるような場所」である自習室のドアを開ける。一方、アルバイト先のファミレスでは、「「女の子」であることがとても上手」な「芽衣ちゃん」に惹かれ、唇を合わせるも「自分が女だということがどんどん膨らんで」いき、「自分の中身の性別と自分の性的指向」について謎を深めていく。

　自習室では、ファミレスの常連客でもある芹沢椿《せりざわつばき》（三一歳）、その幼馴染の平岡知佳子《ひらおかちかこ》と言葉を交わすようになる。黒岩氏は、「里帆が女性という「性別」を脱ぐ方向で試行錯誤しているとすれば、椿は反対にそれを着込むことで武装している」（前掲）と指摘する。落ち込む里帆に、椿は「セックスが辛いのだって、あなたがちゃんと、女をやっていないからじゃない？」と言い放つ。苦しむ里帆に知佳子は「ＦｔＸ」、即ち「女性から、Ｘ、男でも女でもない、どちらでもない性別として生きる道を選んだ人」として、「里帆ちゃんにしかできないセックス、発明しちゃっていいんだよ」と促す。

　「Ｘならば、作っていけばいい」、ウィッグをつけずにタンクトップを纏った「保留」の格好で、里帆は自習室に行く。「新しいセックスの方法を開発して性別を脱いでセックスできるようになれば、苦しみから解放される。皆でそれを広めていけばいいじゃないですか」と椿に呼びかけるも、「誰も乗らないノアの箱舟。誰も後ろについてこないハーメルンの笛吹きね」と揶揄される。椿の部屋で彼女を相手に「性別を脱いでセックス」を試みるが、「身体中隅々まで、あなたは女」、「どんなに排除しようとしても、反応するのはあなたの『女』」であることを宣言される。

自習室に立ち戻った里帆は「誰も、どころか、里帆当人すら乗ることはできなかった。新しい世界へ漕ぎ出しているつもりだったのに、実際には、大陸のそばで溺れているだけだった」ことを思う内に脱水症状に陥る。知佳子に介助されて「無性を着込むようになっていた」ことに気づく。作者の村田は里帆と知佳子について次のように述べている。「「好きな相手であってもセックスがうまくいかない」という、里帆のような性に悩む女性のことを書こう」と思っていたが、「性という問題にとらわれず、いろいろなものから解放される感覚を書いてみよう」となった（「とことん女の子の性を書きたかった」「青春と読書」11・11）。続けて、「過激なかたち、表現であっても、それを言語化することで誰かが救われるんじゃないか」という思いを吐露する。

　里帆にXを示す、知佳子を視点人物とする章は、「性別」を男女という二元論で捉える里帆の思考の外にあるものを示す。知佳子は「人である以前に星の欠片《かけら》である感覚」、「物体感覚」を強く持つ。それは「肉体感覚」を凌駕するものであったが、自習室で伊勢崎《いせざき》という男性に出会い、「人間の肉体感覚」を覚え始めていた。「星としてではなく人間としてのセックスができ」るか、身体を触れ合わせる。と、「宇宙は洪水を起こして、いつも世界を壊してしまう。頭の隅で、ぼんやりと知佳子は思った」。伊勢崎と自分は「クレーターに転がる、二つの星の欠片」として存在していた。

　里帆と知佳子の視点は章ごとに入れ替わってきたが、知佳子が伊勢崎との進展に思いをめぐらせ、里帆が椿から「誰も乗らないノアの箱舟」と一蹴されてからの出来事は、「里帆・2」以降の章において、双方の視点から語られる。知佳子は里帆を「傷心ピクニック」に連れ出し、自習室で一晩を明かすことにする。雨に降り籠められる場面は重要だ。眠れない里帆は、クッションを慈しむように撫で回す。そのナイロンの皺は、椿の「いままで生きてきた証《あかし》が染み込んだ、人間の肌」を連想させる。「記号としての男や女の身体ではなく、ただ、肉体そのものとして愛し合う」ことを求めていたにすぎないのではないか。気が付くと、雨の音が止んでいた。里帆は〈ハコブネ〉の内部から外部に視線を向ける。「窓のブラインドの隙間をあけて外を見ると、ビルも人間も消えており、そこに広がっているのは、はるか遠くまで続く、灰色の凸凹」だった。「星の欠片」である知佳子の光景を垣間見る。

さまざまな性的指向を持つ人々が集まる自習室は、『旧約聖書』創世記のように、ノアの家族と動物たち、それぞれ一対の男女を収容するのではない。ノアは、神から選ばれて破滅に瀕した世界からの脱出に見事に成功した。一方、里帆は、自習室の名前が「リトルバード」であったように、船から最初に飛び立った小鳥であったかもしれない。自習室は、巨大な〈ハコブネ〉の一区画に過ぎない。読者である私たちは、〈ハコブネ〉を自由に想像することができる。

雨、水のイメージは知佳子の見る光景につながる。知佳子においては、最初から粘土の一部としてある感覚を持つ。伊勢崎は「普通、人間は誰でも自分の世界を生きていて、性行為をしたからといって、それが融合されるとは限らない」と理解を示すも、知佳子は別れを告げる。そして、里帆とは別のXに向かって賭けに出る。「身体に残る、微かな人間としての肉体感覚を消滅させたかった」ために、自ら「星の欠片」となって「アースとセックス」を試みる。自分の内側の臓器は粘土として熱を宿し、中央は「水溜り」へと変貌し、熱と水は惑星に流れ込んで溶け合う。藤沢周・小池昌代・山城むつみの三氏による「創作合評」(「群像」10・11)で言及されるように、知佳子がどれほど振り切れたか、わずかな迷いも残るラストである。安易な解決は斥けられる。現在、〈性自認〉についての理解を深める取り組みがなされつつあるが、本作では、困難を追求し、とどまる里帆、知佳子の感覚をいとおしいものとして描く。二項対立を揺るがす意欲作である。

(東洋英和女学院大学他非常勤講師)

『ハコブネ』――「自分史」のようなもの――

大山英樹

一九七九年生まれの村田沙耶香は「就職氷河期世代」に属しており、その下の「ゆとり世代」とか「悟り世代」とか言われる世代には該当しない。作家の個性を示すのにこのような「世代論」がどの程度有効かは疑問だが、第百五十五回芥川賞受賞作『コンビニ人間』（「文學界」16・6、文藝春秋社、16・7）が二〇一〇年代半ばの日本社会のある種の反映として、世相や価値観を象徴的に描き出したものと評価されてしまった以上、このようなレッテルと共にこの作家が語られていくことは、ある程度避けられないのではないか。社会と共に歩む作家か、社会を風刺する作家か、いずれにせよ何かしらの記号性を帯びて、それを名刺代わりにして人々の期待に応えたり、ときにそれを裏切ったりしながら、『コンビニ人間』以降の作品だけでなく、それ以前の作品も評価されていくことになるだろう。

　ところで、このような「レッテル」貼りは世間から強制されるものであり、自由意志によって自分の生を切り拓いていく個人にとって障壁であり反抗する対象であるかといえば、必ずしもそうとは限らない。むしろ何かしらのレッテルを貼られることによって自分の存在意義に何かしらの承認を得られたように感じて、たとえそれが自己欺瞞に過ぎなくても、妙な安心感を得ることができるという場合もある。『ハコブネ』（「すばる」10・10、集英社、11・11）は、このような「レッテル」の効用について検討する作品である。

この作品の主要登場人物は、佐山里帆、芹沢椿、平岡知佳子の三名である。だが、この三者の三様が描かれる、という説明は正確ではない。物語は佐山里帆と平岡知佳子の二人の視点から交互に描かれる。芹沢椿は世代の違う二人を引き合わせる接点となるほか、いわゆる「女性らしい女性」という記号性を押し付けられて、自分がそこから逸脱していると感じている二人の女性の比較参照項という機能を果たすのみである。

三十一歳の芹沢椿は、容姿に恵まれ相応の恋愛経験を重ねながらも結婚には至らず、仕事を続けながらも現状に満足せずに飛躍を目指して資格試験の勉強に励む女性。女性の大学進学率が五〇%を越え、女性の平均初婚年齢が三十歳近くに上がった二〇一〇年代の日本社会において、彼女の現在は高学歴女性の生き方としてよくある例のひとつである。彼女は男性を惹き付ける魅力を有し、他の女性から羨ましがられる存在である。しかしそれが彼女にとっての全てではない。彼女には彼女の悩みがあり、葛藤がある。他の二人はそれに多少の理解は示しながらも、やはりそれは「普通の悩み」であるとしか思えない。「普通でない悩み」を抱える自分こそが特殊な存在であり、相対的に芹沢椿の葛藤よりも自分のそれの方が深刻である。このような考えに他の二人は至る。芹沢椿に言わせれば、状況はむしろ逆であると主張したいはずだが、ともかくそのような整理の元で、佐山里帆と平岡知佳子の「自分語り」が展開されていく。

十九歳の佐山里帆は交際相手とのセックスが辛いことに悩んでいる。その理由を性同一性障害に拠るものと考え、セミロングの髪を隠すウィッグと胸を締め付けるタンクトップを身につける男装を試みる。そしてその姿を晒すため、〈他者との関わりがなくて、それでいて他者がたくさんいるような場所〉である「自習室」に通い始める。彼女は自分がトランスジェンダーやレズビアンであるという明確な自覚があるわけではない。むしろ懐疑的であるからこそ、〈他者との関わり〉においてアンビバレントな場所である「自習室」に居場所を見出そうとする。

個別に仕切られた狭いスペースに個々人が押し込められているこの場所の様相を、彼女は客船「氷川丸」に重ねる。それは「方舟」より「箱舟」という表記がしっくりくる。互いが互いに無関心な空間で彼女は自分の存在が何であるかを「勉強」する。だが、答えを得られることはない。それは始めからわかっていたことかもしれない。学べば学ぶほど自分の感覚との乖離を実感し、孤独感を募らせていく。自分を特殊な人間と見なし、〈他者との関わり〉に疑問を深めていたときに、この場所で芹沢椿に声をかけられ、平岡知佳子を紹介される。出会いは受動的なものに見えて、佐山里帆が救いを求めて自らハコブネに乗り込んだことで、それを引き寄せたのだ。

　平岡知佳子は芹沢椿と幼馴染で同い年の三一歳だが、化粧っ気のない童顔で、それよりかなり若く見える。鷹揚で人当たりが良いが、他者の気持ちに寄り添うという姿勢に欠けており、場合によっては冷淡に映る。彼女もそれを自覚している。そして彼女もまた、佐山里帆同様にセックスに違和感を抱いている。ただし、彼女の場合はそれに限らず人間社会の生活全般に違和感を抱いており、すべてを「おままごと」の延長のように感じている。この価値観の形成には祖父の影響が強かったと本人は考えている。しかし、太陽をソル、地球をアースと呼び、人間は星の欠片にすぎないという、科学的というよりはスピリチュアルと表現した方が適切な彼女の世界観は、きっかけは祖父だったにせよ、彼女自身がその人生の中で積み上げてきたものといえる。この価値観のせいで彼女は恋人との交際というものをうまくできないが、彼女にとってそれは別に悩みではない。〈アースとセックス〉という、他の者から見れば多分に妄想的な行為によって、彼女は満たされることができる。物語の後半、彼女は佐山里帆を連れ出し、夜の「自習室」に忍び込む。そして佐山里帆と自分の価値観の共有を試みるが、それは不可能だと悟る。

　芹沢椿を媒介として出会った、佐山里帆と平岡知佳子という世代の違う二人の女性は、結局のところ同じものを分かち合うというような分かり合い方はできない。それでも友人関係は継続され、平岡知佳子は佐山里帆の〈自分なりの性を摑んでいく〉〈身体の実験みたいなこと〉を今後も見守っていくことにする。佐山里帆にとってそれは救いとなるはずだ。完全な理解者とは言えなくても、自分の苦悩を吐き出す相手がいることで救われる。通俗的な社会的価値観ではそれを異性のパートナーに求めがちだが、現代社会ではそう都合よく相手を見出せない者が珍しくない。その意味で佐山里帆は幸福に巡り合えたといえよう。

さて、問題はこのような関係性を作者はなぜ一九歳の女性と三一歳の女性の間で成立させたかということである。これは、村田沙耶香という作家が二三歳の時に『授乳』（「群像」03・6、講談社、05・2）でデビューして以降、一貫して「女性の性の歪み」を描いてきた作家であることを知っていれば、自ずと推論は立てられる。『ハコブネ』の発表時、作者は平岡知佳子と同じ三一歳である。安直すぎると言えば否定はできないが、佐山里帆はかつての自分、平岡知佳子は現在の自分にかなり近い存在なのではないか。作者はデビュー以降この作品まで一貫して「性の問題」に拘り続けてきた。その問題に決着をつけるためにこの作品は作られたのではないか。

とはいえこの作品以降、村田の作品から「性の問題」が消失するというわけではない。だが、それは『ハコブネ』以前の作品に比べて大分後景化されていく。芹沢椿のように、「性の問題」だけが人生のすべてではないことに焦点が移っていく。作者にそのような変化を与えたのは、ひとつは加齢による考えの深化であり、作家としての円熟である。そしてもうひとつは価値観の多様化という社会全体の変化であり、その中で作家が示したスタンスが、一九歳と三一歳の二人の女性に分離して、この作品には込められている。

（青山学院大学非常勤講師）

『タダイマトビラ』

――虐待の先にあるトビラ――

ダルミ・カタリン

第二十五回三島由紀夫賞の候補作となった村田沙耶香の「タダイマトビラ」(「新潮」11・8)は、愛のない家庭で育った少女・在原恵奈が「本当の家族」に導くトビラを探す過程を描いた一人称語りの長編小説である。本作品における伝統的家庭倫理の崩壊と新たな家庭倫理観の構築を考察するものとして呂衛清「村田沙耶香『タダイマトビラ』に対する文学倫理学的批評」(「比較日本文化学研究」第九号16・3)があるため、本稿ではトラウマ研究を踏まえ、ネグレクトと心理的虐待の視点から本作品を論じる(引用は新潮文庫『タダイマトビラ』、16・11による)。

厚生労働省の『子ども虐待対応の手引き』(https://www.mhlw.go.jp/bunya/kodomo/dv12/01.html)において「子どもにとって必要な情緒的欲求に応えていない」ことはネグレクト、「子どもの心を傷つけることを繰り返し言う」ことなどは心理的虐待の一例として挙げられている。主婦としての義務を果たしながらも子供たちに愛情を注がず、息子を傷つけるような失言を繰り返したり、子供の家出を無視したりする恵奈の母は、意図しないものの、恵奈とその弟・啓太に心理的虐待を与えている。一方で、父は愛人を作っており、家族をほぼ完全に放置している。このような崩壊した家庭で苦しんでいる啓太と異なり、恵奈は小学校時代から「家族欲」を自分で処理している。

精神科医のジュディス・L・ハーマンによれば、虐待を受けている子供は「自分自身の世話をし自分を守ることができないのに、成人側のケアと庇護とがない代わりをわずかに自分の自由になる手段すなわち心理的防衛の未熟なシステムを以て埋め合わせする他はない」(『心的外傷と回復』みすず書房、96)という。愛に飢えている恵奈は「脳を騙す」ためにカーテンのニナオに身を包んで「カゾクヨナニー」を行う。「家族」と「オナニー」という二つの言葉からつくられた「カゾクヨナニー」は、恵奈にとって未熟な性的欲望を解消するための行為であると同時に、両親の愛情不足と無関心さを埋め合わせするための手段、恵奈自身の言葉を借りて言えば「工夫」に他ならない。

なお、恵奈の母が母性に倦んだのは実母との関係に起因するものとして描かれている。詳しくは語られていないが、恵奈の母は実母から何等かの虐待を受けて育ったことは物語を読み進めると明らかになる。また、中学生の恵奈は、母がテレビで見た「インナーチャイルド療法」を試し、それに失敗したことを察知する。母は子供時代の自分を思い浮かばせることができるが、泣いている自分を抱きしめられず「血だらけになるまで殴っちゃうの」という。それを聞いた恵奈は、「母は私たちを虐待《ぎゃくたい》するのを我慢しているのかもしれない」ことに気づき、母と一緒に笑う。母と違って「この家を出て、「本当の家」に向かっていける」ことを信じている恵奈は、「「家族」に失敗した」母を見下している。恵奈の言う「本当の家族」とは、「血なんて理由ではなく、私だからという理由で選ばれる」ことを意味しており、血縁関係を排除したものである。「本当の家族」を探し続けている恵奈はつまり、虐待の連鎖を自ら断ち切ろうとしていると言えるが、それは簡単なことではない。

高校生になった恵奈は大学生の浩平と付き合い、「帰るためのドア」を見つけたと信じているが、「責任のない夫婦ゲーム」に「すっかりハマっていた」浩平の中に理想の家族を追及する自分の姿を見出してしまうと、「本当の家族」の理想が破壊されてしまう。「浩平の理想世界の奴隷《どれい》」になったと感じる恵奈は浩平に突然暴力を振るってしまい、「家族というシステムは、カゾクヨナニーシステムだった」かもしれないと考えながら渚の家に向かう。近所で一人暮らしをしている年上の渚は、家の一階をオープンスペースにしており、そこで瓶の中に蟻のアリスを飼っている。死んだら直ぐに取り替えられ、瓶の中に永遠に生きているアリスは、母と同様な「失敗者」になったと意識している恵奈に新たな発想を与える。「不思議の国にいるのは、アリスじゃなくて私達だ」と気づいた恵奈は、アリスと同じように、「家族」というシステムも取り替え可能なものだと考え、アリスを殺して「人間が人間になる前の、生命体だったころに」帰る。その時、恵奈はあるトビラを開く。

　その時、私は確かに、何かのトビラを開いていた。私は自分でも気付かないうちに、あの四文字の言葉を呟いていたようだった。

『おかえり、恵奈』

　渚さんでも浩平でもない、懐《なつ》かしい声がドアの奥で響く。私はその声に導かれるように、微笑《ほほえ》みながら、そのトビラの中へと踏み出した。

ハーマンによれば、子供は「児童虐待を行う病的な周囲の人々のために通常の範囲をこえた創造的および破壊的な能力が余儀なく発達させられ」、そのような環境は「身体と心、現実と想像、知識と記憶とが正常な関係にない意識状態」を生み出すという（前掲書）。要するに、恵奈が開いたトビラはおそらく彼女の想像の中でしか存在しておらず、病的な環境に耐えるために「脳を騙す」工夫をしてきた恵奈は結局、現実と想像の区別がつかない意識状態に陥ってしまったと考えられる。以降、「今まで暮らしていた場所は、発達しすぎた脳が見せていた幻影だったのだ」と確信した恵奈は、「家族というシステムが生まれる前の世界」に帰り、周りの人たちを只の生命体で「☆のマークに似ている」「ホモ・サピエンス・サピエンス」として認識するようになる。

恵奈の奇妙な振る舞いに驚いた両親は仲直りし、在原家は本来あるべき姿を取り戻すが、それは恵奈に解放感を与えない。家に集まった恵奈の家族は、玄関のドアの向こうから「言語ではなくなった柔らかい生命体たちの鳴き声」が聞こえ、ドアの外に引きずられていく。最後は、抵抗している母を連れて恵奈自身も「ドアの外の生命の渦」に溶け、「カゾクというシステムの外」に帰る。

幼少期から経験してきた心理的虐待が恵奈の意識状態を変化させたと考えるならば、物語の終盤で描かれているのは、ＳＦ的な異次元ではなく、現実から完全に乖離してしまった恵奈の破壊的な妄想の投影に他ならないと言える。「カゾクというシステムの外」に帰ること、つまり現実からの乖離は恵奈にとって解放感をもたらすが、その結果彼女は言語を失い、「人間」という生命体から脱出せざるを得ない。彼女が開いたトビラの先に広がる世界は、実に恐ろしい。

要するに、ネグレクトや心理的虐待の影響を被害者の視点から描いた本作品は優れた心理小説であり、二〇一八年の『地球星人』と同様に、児童虐待の問題に着目している点で注目すべき作品である。（日本現代文学研究者）

付記

本稿は、拙稿Katalin Dalmi, "Voices of Abused Children in Contemporary Japanese Fiction: Sayaka Murata's *Tadaima Tobira* and *Chikyūseijin*"（「表現技術研究」第一七号22・3）の一部に基づき、それに大幅な加筆修正を加えたものである。

『しろいろの街の、その骨の体温の』

——言葉で、傷を奏でる——

錦咲やか

『しろいろの街の、その骨の体温の』という特異なタイトルが、このテクストへ真っ直ぐ続く道のように、背骨のようにすっくと立っている。本作は書き下ろしであり、二〇一二年に朝日新聞社より刊行され、第二六回三島由紀夫賞を受賞した。単行本と文庫本の装丁は変わっていない。一般的に、判型が文庫本に変わる際はマーケティング層が変わるため、より多くの読者に訴えかけられるよう装丁を変更する場合も多いが、本作の文庫版はそのまま装丁を変えず、二〇一五年に朝日文庫より刊行された。これは装丁がひとつの要素として、明確に本作のイメージを広げている評価としても捉えることができるだろう。ホンマタカシの写真による表紙は、ニュータウン開発地区の住宅街の様子を端的かつ雄弁に伝えており、小学生から中学生の時期へとテクスト内の時系列が移り変わる際には、住宅街の写真が見開きでページ間に挿入されている。

五年生で初潮を迎えた七夕のシーンから、街の風景を視覚的に挟み、以降は中学二年生の結佳の語りが始まる。ニュータウンの開発は一転、街の予算がなくなり、景気が悪くなったことで中断されている。街の至る所にやりかけの工事現場がそのまま放置され、急に静まりかえった街は死んだようにも見える。街を貫く骨のような白の世界、夜中にこっそり結佳が歩く墨汁のような黒の世界。灰色と、まだ成長していないやや人工的な緑の中、結佳が思わぬ形で深く関わり合っていく男子生徒の伊吹は、常にオレンジ色の衣服を纏って現れ色彩をもたらしている。

成長痛で軋む身体の骨や心。昨今、学校内でのいわゆるカースト問題は、ある程度社会の共通認識として話題に上っているが、結佳たちも例外ではなくその身分制度に晒されている。学級内では見下し合う子どもたちの連鎖があり、常に容姿や勉強・運動能力、キャラクター等による価値づけがなされている。最上位にいる華やかな生徒、最下位グループに位置する目立たない、時にはからかわれいじめや差別を受ける生徒。結佳は「教室の中をうまく立ち回りながら、心の中で教室内の全てを見下している自分。皆の価値観をバカにしながら、その価値観で裁かれることにおびえ、人前で信子ちゃんと話さない自分。そういう自分が、井上くんより荒木くんより小川さんより信子ちゃんより、本当は一番薄気味悪かった」と自分を相対化する。さらに、スクールカースト上位の井上や荒木、小川に対し、最下層でありながら激しく感情を露わにして行動する信子の生命力を目の当たりにして、結佳は「言葉は色彩に似ている」と感じ、「太陽を真っ青に、海を真緑に、好きな色鉛筆を取り出して塗りあげていってよかったのだ」と気づく。自分のプライドのために必死に戦う信子とのぶつかり合い、傷を刻み合う言葉のやりとりによって、結佳の価値観に転倒が起こる。

第二次性徴を先に迎え、伊吹がずっと自分の〈おもちゃ〉でいてほしいと願う結佳は、「早く大人になれますように」という伊吹の短冊をこっそり破った。しかし伊吹にとって〈早く大人になりたい〉という願いは、彼がどうしても譲れずにもう一枚したためた「サッカーがうまくなれますように」という願い事と全くの等価、「両方同じくらい」なのである。伊吹は子どもっぽく、男子にしては背が低く成長が遅いキャラクターだが、かといって彼の言動は決して早く大人を目指すものではなく、大人になったら黒いスーツをきてタバコを吸いたい、というような「ばあちゃんが好きな古い探偵ドラマ」の俳優のような単なるイメージや、サッカーと同じように「かっこよく」なるための一要素であり、そこに身体的・精神的な成熟にともなう性愛への憧れはみられない。一方で「おれ、『谷沢がいる』っていう空間が好きなんだ。谷沢はあんまり自分のこと喋んないけど、なんか、自分の世界を持ってる感じがする」という、結佳に対する好意の理由付けは内面的に成熟しており、かつ性的ではない。それは未熟ともとれるが、この好意の理由付けは性的な欲望へ至る以前の抽象的な思いを的確に言語化しており、性的に早熟で欲望に支配されている結佳とは対照的な姿をみせている。一方、結佳は「だって、恋って発狂することだもん。伊吹は狂ってないじゃん」と、伊吹の思いを退ける。結佳が、街のごみ処理場であるクリーンセンターの一面白い壁の前で苦しい呼吸を感じ、呼吸の停止――すなわち死と接近し、「白って発狂の色だよね」と母に話しかけているように、結佳の中で白い骨の街と、発狂する恋の体温は分かち難く結びついているのである。このテクストでは、結佳が伊吹に対し、性犯罪の加害者側に立っている。性暴力はどのような性差間でも起こりうる問題だが、男性側が加害者側として支配欲や所有欲を問題とされる場面は社会的に多い。結佳もまた、伊吹を自分の〈おもちゃ〉にしたいという気持ちを口にし、はっきりと支配欲や所有欲を示しており、男性の加害性と女性の加害性とのねじれを炙り出す。性暴力について、結佳は伊吹に向き合い、「私のしたこと……性的な犯罪だと思う。男の子も被害者になるって、本に書いてあった」「……伊吹、私、伊吹が行くなら警察に行くよ。思い出したくもなければ、それだって嫌かもしれないけど」と語る。伊吹がきちんと言葉で向き合ったことで、二人は和解へと向かうように思われた。ここには被害者側が、強要されずに自分の気持ちを自分の言葉で語り、それをあえて言う加害者側と分かち合えた奇跡があるだろう。その後の、欲望が音楽となって互いの身体に流れ込む描写は美しく、二人の理想的な性愛の演奏は純粋なハーモニーを奏でるが、その点で結佳に丁寧に寄り添う伊吹が理想化された相手である点は注意深く捉えねばならない。ここでは男性の性欲処理の道具として求められるような女性の価値の転倒が図られ、女性の性的な欲望を解放しているが、欲望を受け入れ合う過程において伊吹が都合のいい男性像であることには疑問も導かれる。ただ、欲望に向き合い結佳が自慰で達した後、自分の脚の間に「何かきらきらした星屑のようなものが、ベッドの上に散らばっていないかと」思う場面はとても印象的である。結佳は自分が「綺麗だったみたい」と発見し、教室の価値観ではなく、信子を美しいと思った自分だけの〈目〉で自分の姿形を捉えること、「私の言葉で世界を表現することを覚え始め」る。その後に至って、成長を止めていた街の再開発はまた始まり、結佳たちの成長もまた始まる。「そして、私は、自分が、ずっとたどり着きたかった体温の中へたどり着いて、あの骨の街を出たのだということを知った」。街の写真をはじめ、視線に貫かれている本テクストにおいて、ここでは眼差しに血の通う変化がみられる。

「私、伊吹のこと好き」「……うん」「でも、好きって言いたくなかったの。たぶん、それよりずっと好きだったから」というやりとりでは、ポール・ド・マン的な言語の不可能性が示唆されている。ド・マンにおける根本的な前提として、言語の普遍的修辞性が挙げられるが、言葉は本来常にそれ自身とは別のもの＝言葉を指し示すことしかできない。常に自らとは別のものを指し示すという言語の本性から、不可避的に生じざるをえない内的差異化を敷衍させていくしかないのだ。結佳と伊吹の欲望が今後どのように転化していくのかは、読者がテクストの決定不可能性に向き合い、読みの不可能性を積み上げていくなかで、奏でられていない不協和音の部分をそれぞれに受け止めねばならない。「誰かに言葉で触るということは、輪郭ができること」であり、同時に輪郭の奇妙さや暴力性もまた美しく奏でられる。思春期はしばしば病にたとえられるが、大人こそが思春期という《病》を発見するのであって、罹患を自覚したその時、既に人は子どもではない。それでも本作が思春期の病をもう一度切実に罹患できるテクストであることは、大人という《病》をも鮮やかに照らし出す契機となるだろう。

（日本近代文学研究者）

「殺人出産」

――得得と「気付く」救いの危うさ――

金　昇渊

「命を奪うものが、命を造る役目を担う」。この「システム」において、前者の命と後者の命は果たして同じ「意味」だろうか。「殺人出産」は、とりわけ初出雑誌掲載時（「群像」14・5）の読者が生きている世界と思わしき「100年前」から「10人産んだら一人殺してもいい」という制度が海外から導入され「変容」した「日本」を描き出す。語り手の清水育子やその「母」の「世代」は、この「変容」の渦中に生きてきたのである。

読者は、その過渡期に「当然」のことながら起きた、既存の概念規定や「価値観」の揺らぎに先ず立ち会わされることとなる。しかし、ここで〈想定〉されうる「非合理的で感情的な」「衝撃」や「新鮮」さ、ひいては順応の相貌は登場人物たちによって語られ、作中に書かれている。国民国家システムによって「美化」され、半ば「洗脳」のごとく〈教化〉された慣習行為の快さと不気味さ、自然なこととといけないことの曖昧な線引き、それに疑問を呈することを許さない「管理」社会の検閲と世間様への自主規制――、こうした「狂っている」のは〈世界〉なのか〈私〉なのかという生きづらさ、生(性)の危うさは、本作の「システム」で「鮮明になっただけなのだ」。「殺人出産」で「現代」という名の合理性が行きつく先は、人間の命を序列化し、選別し、数の論理によって裁断してきた現実世界の〈現代〉の虚構じみた行路と地続きである。それは〈常時〉生産性の有無で排除・包摂される人間の存在価値が、〈非常時〉という「特定の」切り取りによって生きるに(死ぬに≠尊ばれるに)値するか否かの〈命〉としてカウントされる／されない「取り替え」に「気付く」瞬間とも通ずる。

しかしながら、こうした〈思考〉を体現する佐藤早紀子の表象は、ルドベキア会という「変わったお名前」の、極端な「妄信」の一側面として描かれる。加害者／被害者、正しい／間違った、善／悪、男／女、前／後――「世界を疑わずに思考停止している」「信じきっている」二元的な枠組みで押しつけられる「正義」の論理は、特定の時代における既得権を奪還することを目的とし、いくらその「世界が逆転」しても代替可能な「同じ」「権利」を再生産するにとどまってしまう。ゆえに「味方」を名乗る早紀子によって「被害者」と名づけられた他者・環の「生の声」は、「想像」という名の代理表象の思惑（生きた証拠としての〈証言〉確保）と裏腹に、同じく早紀子を「かわいそう」と想い「被害者」だと規定する「救い」のための「死に人」指名であった。この対比が投げかけるのは、単に「いろいろ」な立場や考え方がある、ということだけに結びつくだろうか。とりわけそれは、次で育子が語るように、白か黒かに棲み分けられるはずもない人間の、情動のあり方や世界との向き合い方である。

「姉が『産み人』になってからしばらくは、私も憤っていましたよ。世界が間違っているとは思わないけれど、あれだけ姉を傷つけておいてあっさりと変容した世界を憎んでた」（中略）「でもその姉も変容した。今の私は、昔の世界も今の世界も、遠く感じます。大きな時の中で世界はグラデーションしていて、対極に思えても二つの色彩は繋がってる。だから、今、立っている世界の『正常』が、一瞬の蜃気楼に感じるんです」

ここで注意したいのは、この「グラデーション」に、大きな物語において「変わらない」再生産の構造だけでなく、「実際」に変わらない風景も含まれているということだ。事務職の「ＯＬさん」と管理職の男という構図や力関係はもとより、「産み人」に対する社会的通念（半ば崇拝）とはまた別に、職場での認識はまさに（従来の）〈出産〉に伴う休職や退職のそれを彷彿とさせる。その傍ら、「人工子宮」という装置に気づき、身体的負担の大小の判断や「男性にはない、女性だけの苦労（搾乳）」という身体―性の問題を横目に、〈男〉も「産み人」になれることと自体を評価するにとどまる読みにも宿り兼ねないその、反転や転倒の危うさをも、育子は凝視し続けるのだ。

そうして、育子は早紀子にも環にもミサキにも「頷く」。繰り返しになるが、「変容」に対する登場人物たちのスタンスは、作中に語られ、書かれている。育子の場合、14歳のとき環に向けた言葉は早紀子のそれと「同じ」ものであり、育子自身、「昔の私と似ている気がした」と早紀子に告げる。でも「今の私」は、「昔の私」をも含めて「変容」していく人間と世界のあわいを眼差し、そのどちらとも距離を感じている。

それでもなお早紀子によって「貴方たち姉妹」と一括りにされ、環の「殺人衝動」や「産み人」になったことを「秘密」として共有するところにあるのは、虫の命に対する残酷さと生きるための「殺意」だった。そして、これらは、育子のトラウマ的な「記憶」にほかならない。本作は蟬からはじまり、蟬で終わっている。「変容」の一つである昆虫食は「昔」のイナゴと「今」の蟬という構図から「変容」の順応に接続しうるが、育子の場合はトラウマに深く関係している。ミサキによって呼び起こされる世界の「変容」は「今の私」においても拒絶反応を起こすも、「私からは何も出て来なかった」。ならば、次で語られる、語り手・育子ひいては作者の諦めのような、達観のような、「頷き」「許し」のあり方は、むしろ語られないところから〈想像〉するべきではないか。

「世界の変化は止められないわ。いくら叫んでみたところで、『更生』されるのはあなたのほうよ。あなたが信じる世界を信じたいなら、あなたが信じない世界を信じている人間を許すしかないわ」

ここで一つ、また「遠く感じ」られるかもしれない、語られないところについて考えてみたい。それは、「当然」「日本」に在住しているはずの、〈外―人〉の存在である。環は海外で「翻訳」の仕事をしていることになっていたし、「海外旅行」のできる状況にあることから、外国との国交は「昔の世界」と変わっていないように見える。

「世界」や「人類」という大きな言葉をそのまま受け入れるのであれば、すでに国民国家システムそのもののように、世界中で「殺人出産」制度が導入されているのかもしれない。ただ、〈人口〉や〈食糧難〉をめぐる「昔の世界」(読者の今)の記憶を召喚するまでもなく、「日本」においてさえ不均衡で時に不条理な「人生」が、一律化しているはずもない。とすると、〈在留〉が〈許可〉されているだけの〈外-人〉に「日本」の「産み人」になれる〈資格〉はあるのか(もっとも、「産み人」ビザなるものが発行され、〈外国人受け入れ〉として「計算」のうちに入るであろうことは推量に難くない)。「死に人」に選ばれたとき、「管理」の主体(範囲)は「日本」になりうるのか。「センターっ子」の移民はあるのか。こうした〈思考〉によって開かれる読みのグラデーションは、結局のところ「殺人出産システム」が(非)国民を再生産する装置として機能していることと、「正義」の「変容」の土台にさえ立たされず宙吊り状態にあった存在への視線の乏しさに気づかせる。さらに、蟻を入れ替える場面は非常に印象的で本作が開示するテーマとも深く関連しているが、一方において「ヒトという生命体」といった枠組み・捉え方がまた、包摂しきれていない生に気づかせる。

早紀子を殺すこと(「肉体関係」)の共犯において、早紀子の皮膚の中にある「一つの緻密な「世界」」の中に育子は「正しい」生を実感する。この共犯関係がさらに逆転する「産み人」をめぐる環と育子の決心は、「たとえ100年後、この光景が狂気と見なされるとしても、私はこの一瞬の正常な世界の一部になりたい」という欲望を投げかける。これを認める/認めないの判断、いとも容易く得得と「気付き」「救う」「許す」ことの「妄信」「狂気」こそ、最も自然なことであると同時にいけないことであるような直感的あわいの部分を、本作は鮮明に彩っている。そして味方の掌で潰された色と匂いの塊に、一緒に立ち会う狂気から産卵し、散乱した生にトラウマの蟬は沈んでいく。それは「ごく平凡」であると同時に「必死」の、生の関わり方であった。(大阪公立大学特任助教)

『殺人出産』

――ユートピア／ディストピアを超えて――矢澤美佐紀

この中短編集は、二〇一四年七月に講談社から刊行された。村田が得意とするディストピア小説の系譜に属するものである。ディストピアとは、「ユートピアの対抗概念ではなく、拡張概念」であって、相互にその要素を含むので両者は「いつすり替わるかわからない」関係にある（鴻巣友季子『文学は予言する』新潮選書、22・12）。本書に収録された作品も、ディストピアという徹底した管理監視体制下であるが故に混乱のない優しい社会が描き出されている。その優しさの真の不気味さは、人々の平穏で平凡な一回性の日常のなかにこそ鮮烈に見出されるものなのだ。村田のディストピア小説は、時に恐怖を笑いにかえながら悲劇／喜劇を自在に転換させていく。二〇一六年八月刊行の文庫版には「あとがき」や「解説」のたぐいは付されていない。そのかわりに巻末におかれたエッセイ風の掌編「余命」が、それまでの作品で扱われた「進歩的生殖」の方法をうけるかたちで、選択的自死という「幸福な死」をテーマに据えている点が印象的である。本書全体をおおうのは、産む性としての女の側からの、生／死にまつわるどうにも釈然としない鬱々とした思いである。少子高齢化社会におけるリプロダクティブ・ヘルス／ライツという厄介な問題を、生に執着するあまり死をも統制可能とする人間の大真面目な愚かしさから照射しようとしているように見える。

「余命」の世界においては、蘇生技術の進歩によって、もはや人類に自然死は存在しない（多和田葉子『献灯使』

を彷彿させる)。個々がより自分らしく正しく死ねる時や環境を、慎重に選ばねばならないのだ。三六歳の「私」は、「なるべく大人らしく、それなりにお洒落に死にたい」と山に入り自ら掘った墓穴にしずかに横たわるのであった。本来は厳粛であるはずの個別の死を描きながら、その姿はひどく軽妙でユーモラスである。そして、死後に人から批判されぬようにと細心の気配りを怠らない「私」の生真面目なふるまいは、ＳＮＳなどで世間の目に振り回される現代の我々にたしかなリアリティを感じさせるのである。ここでの理にかなった「幸福な死」の内実は、残酷ではあるがずいぶんと滑稽で、故に哀しくもある。そして、それは、表題作の「殺人出産」における、その世界での合理的な生殖システムのねじれへと鋭利に接続されていることがわかる。

「殺人出産」では、生殖に関して実に調和のとれた世界が描かれている。政府は、長年の難問だった少子化問題を解決するために、一〇人産めばだれでも一人殺すことができるという画期的で効率的な制度を発明したのだった。冒頭近く、会社のトイレで、「瑞穂さんがそんなにまで想う相手って、どんな人なんだろう。今、34歳ですよね。一年で一人頑張るにしたって、産み終わったら44歳かあ。それまで一人の人を想い続けることなんて、できるのかなあ」と、視点人物の育子の後輩であるチカが無邪気に語る。「産み人」となった同僚の瑞穂の心理を推察するチカの言葉には、あたかも恋愛についてたわいもないおしゃべりをしているかのような雰囲気が漂っている。このあたりが村田の真骨頂だろうか。ある人間を殺したいという強い想いと、ひたすらに恋焦がれるそれとは、実質的な差異などないのかもしれないと、つい幻惑させられる場面である。人間という種の存続に命がけで献身する「産み人」も、ふいに生が切断される不条理のなかで「尊い行い」に参与させられる「死に人」も、人々から等しく畏敬の眼差しを向けられている。この「殺人出産システム」は、「産み人」／「死に人」という清浄と穢れの両極を共に聖化させることで、人類が培ってきた倫理や道徳といった概念も容易に無化させ、安寧という名の管理監視体制を周到に強化していくのであった。

昆虫食も一般的となったこの世界では、恋愛／結婚と生殖行為は峻別されており、生殖を目的としたセックスは一切否定される。「セックスは愛情表現と快楽だけのための行為になった。避妊技術が発達し、初潮が始まった時点で子宮に処置するのが一般的になり、恋をしてセックスをすることと、妊娠をすることの因果関係は、どんどん乖離していった」と語られるように、女は、望まぬ妊娠から完全に放免されている。さらに、恋愛の延長線上で結婚をして子供を産み、男女が共に愛を育みながら家庭を築くという、一九世紀以来のロマンチックラブ・イデオロギーは完全に消え去り、旧弊のモラルからの解放とひきかえに国家による生殖の管理が巧妙に遂行されているようだ。身体への負担が重いので一〇人産む前に死ぬ人も少なくないが、望めば男でも人工子宮を装着して「産み人」になれる。また、犯罪者には死刑のかわりに「産刑」が課せられ、無駄な死は生殖に活用される。産むことは殺人を意味し、殺人者は産むことを強いられるのだ。また、産む性が女とは限らないのだから、母性神話は完全に崩壊している。その「自由」のなかで、「産み人」が生んだ子供はセンターに預けられた後に希望者に分配されるが、自分の遺伝子を残したい女は人工授精によって出産することも可能だという。現に育子の母も、まずは環をセンターから貰いうけ、その後人工授精によって育子を産んでいる。

聡明な姉の環は母との関係に距離があり、秘かに「産み人」生活を送っていたが、遂に長年の想いを果たす。「死に人」には、育子の同僚で「殺人出産システム」に反対する活動家の早紀子がえらばれたが、衝動殺人が抑えられない環にとっては虚しい選択でしかなかったかもしれない。明るく屈託のなかったチカも「死に人」となり、将来を夢見る小学生のミサキは、世界中の「産み人」とその子供たちが無事であるようにと祈る。男から身勝手なセクハラを受ける度に「私たちには殺人がある」と耐えてきた育子は、環の聖なる殺人現場に参画する。早紀子の腹から取り出された胎児が自分の右手の上で転がる様を見詰めながら、育子が「産み人」になる決意をして作品は終わるのだ。育子の「たとえ100年後、この光景が狂気と見なされるとしても、私はこの一瞬の正常な世界の一部になりたい」という願いは、この作品が生殖にまつわる表の筋の一方で、女の承認の問題——女が社会における居場所を希求する物語——を紡いでいたことに気づかされるのだ。思えば芥川賞を受賞した『コンビニ人間』の恵子も、たとえ歪んだ組織であろうと、その一部として完全に溶け込み埋没することを切に願っていた。ここに、村田の逆説的で一貫した姿勢を見ることができるのである。

「トリプル」における近未来社会では、従来のカップルではなく、性の組み合わせも自在な三人でつきあうトリプルという交際形式が十代の若者の間で爆発的に流行している。高校生の真弓は、トリプルを不潔だと非難する母親に反発して二人の男子高校生とのトリプル生活を楽しんでいる。そこで真弓は、必ずしも男性性器を必要とせず、「私たちの性器と、そうでない穴との境目が曖昧」になるような自由なセックスを開拓していくのだ。松浦理英子の作品を想起させもするが、「二人の胎児になって、二人から流れ出る羊水の中を泳いでいる」と感知する真弓には、やはり居場所を探しあぐねる様子が垣間見える。「清潔な結婚」では、「クリーン・ブリード」という両者の性器を極力接触させない最先端医療による「清潔な繁殖」が描かれる。ここでの妻と夫は、家族内に恋愛や性を持ち込むことを嫌い、性欲は互いに外部で処理し、「男でも女でもない。ただのパートナー」としての「家族」を形成することに邁進する。二人が真に幸福か否かは問題ではなく、これが我々が今もしがみついている「家族」という制度への痛切な皮肉であるのは間違いないだろう。現実社会がマーガレット・アトウッドの『侍女の物語』に近接し、一部は既に超えてしまったように、村田が描くディストピア小説に我々の生活が追いつく日も近いのかもしれない。

（法政大学講師）

「清潔な結婚」

——性役割のない家族に向けて——モーロ・ダニエラ

『消滅世界』（河出書房新社、15・12）の河出文庫（20・10）解説で、精神科医の斉藤環は「「ロマンティック・ラブ・イデオロギー」が徹底的に解体される」（280頁）と論じている。たしかに、〈愛・性・結婚の三位一体〉という原理に基づいている理想的な結婚のイメージは『消滅世界』では現れない。「清潔な結婚」（『殺人出産』講談社、14・7所収）の結婚の形にもロマンチックな要素がなく、『消滅世界』のアンチ・恋愛至上主義の側面を予測させる。「清潔な結婚」は語り手のミズキという三十代の女性と「夫」との結婚生活の話である。二人とも結婚願望があって、子供も欲しいが、恋愛とセックスは一切「家族」に入れたくないという感情が強い。「そもそも恋愛の延長線上で家族を探すということに、僕には違和感があるんです。家族なんだから恋愛感情は抜きで、男でも女でもない、ただの家族としてパートナーと向き合いたいんです」（以下、引用は講談社文庫による。164頁）。夫が言うように、恋愛は家族と関係がないため、結婚相手とセックスすることに対して違和感を抱いてしまう。同様に、ミズキにとっても「家族なのに女であることを求められたり、一方で友達のような理解者であることを求められたり、なんだか矛盾している」（164頁）。このようなことを話し合った上で、「兄弟みたいに」暮らすことにし、結婚したのだ。二人とも恋愛関係を外でもち、お互いにセックスを相手に一切求めないが、子供が欲しいため、セックスなしの妊娠のさまざまな可能性を考慮したあげく、人工受精の値段は高いため、「クリーン・ブリード」という医療行為のセックスを提供する病院を検討する。最後の場面では、受精した後、二人は公園で時間を過ごし、セックスしなかったことを喜びながら、彼女の中に彼の精液が入ってしまった感覚によって二人とも違和感を抱く。

『消滅世界』はSF的であるが、「清潔な結婚」は実生活であり得る状況を描いている。いうまでもなく、「クリーン・ブリード」の展開は極端で、SFに近いものの、現代日本ではセックスレスの結婚が多いため、子供がほしくてもできないカップルはないとは限らないという（Yoshie Moriki et al. “Sexless Marriages in Ja-pan: Prevalence and Reasons” Low Fertility and Reproductive Health in East Asia ed. by Nohiro Ogawa and Iqbal H. Shah, Springer 2015, p.182）。確かに、恋愛における研究や調査結果を見ると、現代日本では結婚のイメージが両義的だと言える。一方で、ヴィクトリア型のロマンチック・ラブがまだ理想として存在するにもかかわらず、他方では、性と家族を結び付ける要件は、実際の現代社会では弱く、セックスレスの夫婦がほぼ半分という事実が報告されている（Alice Pacher （No） Sex in Japan. A Sociology of Sexlessness in Intimate Relationships, Springer 2022, p.19）。その状況は家族の中の調和がある限り、基本的に当事者にとって問題視されていないと言われている。家庭を第一とする日本の社会では、一度「家族」になれば、母親と父親の役割が、性的に満足を得ようとする個人の必要性より優先され、家族の中で自らの女性と男性のアイデンティティーが消えても構わないと思われている（Yoshie Moriki “Physical intimacy and happiness in Japan. Sexless marriages and parent-child co-sleeping” Happiness and the Good Life in Japan ed. by Wolfram Manzen-reiter and Barbara Holtus, Routledge 2017, p.45）。つまり、七〇年代まで主流であった、〈男性は仕事、女性は家事〉という男女の依存関係で結ばれるようなお見合い結婚と異なり（Allison Alexy “What Can Be Said? Communicating Intimacy in Millennial Japan” Intimate Japan. Ethnographies of Closeness and Conflict ed. by Allison Alexy and Emma E. Cook, University of Hawai'i Press 2019, p.96）、ロマンチック・ラブ・イデオロギーもしくはロマンチック・マリッジ・イデオロギー（谷本奈穂、渡邉大輔、「ロマンチック・ラブ・イデオロギー再考―恋愛研究の視点から―」『理論と方法』31巻1号、16・8、55―69頁）が、現代の社会において男女を結婚に導く主な理由になっている。しかし、これはあくまでも単なる理想であって、子供を生むまでに夫婦間の性的関係を保つことができる夫婦でも、子供を生んでから、急にロマンチックな要素がなくてもかまわない、という矛盾した考え方に転じる場合が多いと推論される（Laura Dales, Beverley Anne Yamamoto "Ro-mantic and Sexual Intimacy before and beyond Marriage" Intimate Japan , pp.75-76）。

村田の「清潔な結婚」は、村田作品によく現れる性に対する嫌悪、および、現代日本のセックスレスの傾向を描写していることは確かである。しかし、それだけでなく、上述の現在日本における家族や結婚のヴィジョンを疑う作品だと考えられる。飯田祐子が「家族」を「正常」という概念と結びつけ、『コンビニ人間』の主人公である古倉恵子において、次の通り論じている（52頁）。「家族は、古倉の矯正を、最も強く望む存在である。家族は「正常」の基盤であるからだ。家族という制度は、異性愛関係を基軸にして男と女の二元的な性別役割分業によって構成される共同体を「正常」とする。それは、ジェンダーとセクシュアリティのあり方を単一化し、私たちの身体を管理し社会化する統合的な制度である。結婚は、もちろんその要となる要素である。男と女が番って生殖を行い、再生産を担う。「正常」の核には、ジェンダーとセクシュアリティを連動させた家族の制度があり、彼女の異質さは、家族の文脈において最もあからさまにあぶり出されてしまう」（「村田沙耶香とジェンダー・クィアー『コンビニ人間』、『地球星人』、その他の創作」『JunCture』10号、19・3、48―63頁）。同様に、「清潔な結婚」の主人公たちも「正常」の基盤であるはずの家族を作っているものの、家族とセクシャリティーを分けて考えているため、「正常」に辿り着けないと言えよう。

日本の結婚の歴史を研究してきたAlexy Allison（"What Can Be Said? Communicating Intimacy in Millen-nial Japan" Intimate Japan , p.96-102）が言うように九〇年代までは、disconnected dipendence（親交のない相互依存関係）に基づいた夫婦が多く、男女の役割分担が互いの依存を形成していたが、その反面人生をそれぞれ生きるという古い考え方が存在した。その後はconnected independence（親交のある独立）と定義される夫婦が現れ、相互依存ではなく、コミュニケーションを中心とした関係が結婚の基盤になる。「清潔な結婚」のカップルは、いずれもの典型に収まらず、その二つの形のミックスで、お互いの役割に依存しないが、親交もあまりない夫婦である。このような隔たれたカップルの状況は、『消滅世界』でさらに発展し、男女の役割分担とセックスはもちろん、家族の概念自体も解体される。

タイトルの「清潔」の概念は、性的な側面を除くだけでなく、広い意味での清潔さにも基づいている。比喩的な汚れだとされる、望ましくないものを排除することをイメージすれば良いだろう。つまり、感情もセックスもジェンダー役割もない、いわゆる〈無菌〉の環境を作り出す結婚のことだ。たとえば、家事の分担はできる限り半分にし、給料が違っても家に入れるお金も一ヶ月の生活費としてぴったり一五万円ずつとする。いうまでもなく、このような厳格な分け方は、二人の間に恋愛感情がないからこそ可能であると思われる。恋愛感情と共に、相手の短所を受け入れなければならないが、このような打算的な契約に基づいた関係だと、相手に合あわせる必要がなく、それぞれの人生を送りつつ、同居して、子供も育てる清浄な人生を送ろうとする。セックスそのものも確実に男女の役割の差をもたらし、それこそ妥協の場になってしまう。夫の愛人がミズキに、彼の性的な好みについて色々な情報を与えるが、彼は赤ちゃんプレイが好きで、愛人を「ママ」と呼んでいるということが分かる。ミズキは彼らの恋愛を嫉妬するどころか、再び彼のセックスの相手が自分ではないことに安堵する。その上、ミズキと夫は一瞬子供を作るために性行為を考えてみるが、二人とも同じ嫌悪感を抱くため、すぐあきらめる。このような二人の同意はロマンチック・ラブから最も遠い夫婦の在り方だと言えよう。というのは、結婚した理由は「家族」を作るためだが、その家族は愛情にも、ジェンダー役割にもセックスにも基づいていない。何に基づいているかといえば、二人の間で平等な関係を築き、お互いに邪魔も依存もしない「清潔」な生活を送る願望だと言えよう。最後の場面では特に、作品全体の皮肉的かつ誇張的なトーンが、最高潮に達する。「クリーン・ブリード」で夫の精液が挿入された後、ミズキたちは公園で休むことにするが、夫は急にしゃがみ込んで、吐き気をもよおす。故意に、妊婦のつわりに喩えられるのがこの作品のポイントで、出産後や子育てだけでなく、妊娠中の苦痛も家事のように分担されるSF的な展開が予測される。その前にも「クリーン・ブリード」中に夫が辛そうに見えたことから、ミズキは「まるで夫が出産して、それを私が受け止めたみたいだった」と言っている。

　つまり、物語に何回も繰り返してあるように、二人は「性別のない結婚」を企てるのだ（165頁）。したがって、この作品ではセックスレスが、問題視されるというよりも、完璧に平等な関係に欠かせない要素として語られていると言えよう。夫の出産の超現実主義的なイメージを通して、ジェンダー役割を無くした男女関係の非現実性に焦点を当てながら、結婚という社会制度の矛盾を明確にしているのである。ジェンダー役割分担の完全な解体を示している『消滅世界』でも小説の最後に、技術を使って男性の妊娠が実現するという極端な展開がある。しかし、「清潔な結婚」と違って、この小説ではジェンダー役割分担と共に家族も最後に破綻する。

　「正常」と「非正常」の二項対立の無意味さは村田沙耶香の作品の一つの需要なキーワードになっているに違いない。その中で、カニバリズムや近親相姦のようなタブーのテーマが現れる。『消滅世界』の語りでは夫婦の中のセックスが「近親相姦」として扱われるようになるが、「清潔な結婚」はまだそこまで夫婦の見方をひっくり返さないものの、結婚相手に対して生理的な嫌悪感を抱くのが明確に現れる。「兄弟みたい」な夫婦の中のセックスを気持ち悪く感じる夫こそ、「ママ」との赤ちゃんプレーでしか興奮できないパラドックスを通して、『消滅世界』などで行われる様々なパラダイムシフトを予告していると言えよう。

一方で、『消滅世界』での「家族」の破綻のプロセスは以下のように描かれている。「同じ食卓にいるのに、私たちはそれぞれ自分が作ったものばかり口に運んでいた。［…］私たちは、何にも属さない一匹の生命体として、清潔な家で一人で暮らすことに慣れ始めていた」（引用は、河出文庫による。220頁）。言うまでもなく、これは「清潔な結婚」の「清潔」という概念の極端化であり、最も清浄な、つまり人に依存も所属もしない関係は一人でいるということになる。

現在日本では、いまだ恋愛結婚が理念として存在する一方で、ジェンダー役割に基づいていない平等な夫婦関係までもが求められている。同様に、「清潔な結婚」では、元々の打算的な結婚の形が残された上で、現代的かつ平等な関係を作り上げるというパラドックスが描かれ、誇張された形で示される。「僕は君と性行為をしたという感覚がまったくない」と喜ぶほど、お互いの性に対する嫌悪が誇張して語られる一方で（188頁）、二人の間の平等も非現実的なほど大袈裟に語られていると言えよう。結婚自体は性の役割に基づいた不平等で打算的な制度として生まれ、もともとロマンチックな要素がなかったにもかかわらず、今日、同じ制度に恋愛が欠かせないとみなされるようになった事情から生じる、矛盾したいくつかの側面がこの作品では明確にされている。村田沙耶香はこの皮肉を込めた短編で現代社会における重要な問題を俎上に載せたと言えるだろう。

（イタリア・トリノ大学人文学科准教授）

『きれいなシワの作り方 淑女の思春期病』

――ジェンダー規範に抗うつつましくしとやかな女性――

レティツィア・グアリーニ

『きれいなシワの作り方 淑女の思春期病』（以下『きれいなシワの作り方』）は、村田沙耶香が二〇一三年から二〇一五年にかけて二〇代～三〇代女性向け雑誌『anan』で連載した七一編のエッセイをまとめたものである。連載前・連載中、村田は『星が吸う水』（講談社、10・2）をはじめとする多様な性を描く作品や『殺人出産』（講談社、14・7）のようなディストピア小説を発表している。それらと同時期に恋愛、美容、メイク、占いなどに関する記事が集まる『anan』であえて淑女＝つつましくしとやかな女性について語っていた。

このエッセイ集のテーマを選んだのは村田自身である。心と身体の変化を考えることが増え、それをテーマにする小説も書こうとしていた時期に、エッセイの連載の依頼が寄せられたという。そこで、思春期のようにおびただしい身体と心の変化にはっとさせられているという話は編集者にも通じて、「大好きな女友達と、大人の女ならではの尽きないお喋りをするような、ちょっとワクワクする気持ちで、（村田沙耶香の）生まれて初めてのエッセイ」が誕生したのである。

村田自身が明記しているように、二〇一五年にマガジンハウスで書籍化するに当たって連載の前半の内容を加筆し、また二〇一八年に文春文庫の刊行に当たっても若干訂正した部分がある。三四歳のときに『anan』に載せた文章では、三六歳の村田、また三九歳の村田にとっての価値観が十分に反映されていなかったという。だからこそ、『きれいなシワの作り方』はアラサーだけでなく、アラフォーの読者をも惹きつける力があるのだろう。「ちゃんとしたアラフォーの女性にならなくては」と悩む読者ならなおさらである。『きれいなシワの作り方』を読んでいくうちに村田とガールズトークで盛り上がるような錯覚を抱くほど、作者と読者との間の距離が縮まる。実際に、村田自身も似たような錯覚を抱きながらこのエッセイ集を書いたに違いない。「あとがき」にも次のように記されている。

> エッセイの連載は初めてだったのだが、大勢の人と文字で大人のガールズトークしているかのような……というより、一方的に「ガールズトーク！　誰が何といおうとこれはガールズトーク！」と叫びながら謎の物体を世界に向かってぶん投げているような、独特の楽しさがあった。

村田との対話をもって「謎の物体」＝言語化できないモヤモヤ感を抱いているアラサーやアラフォーの読者は、女らしさ／男らしさの規範を形成する男女二元論、また異性愛規範的社会や皆婚社会による抑圧について深く考えるように導かれる。また、それらの規範からはみ出た価値観をポジティブに捉えるように背中を押してもらえるに違いない。

では、ジェンダー規範による抑圧はどのように女性の人生を支配するのだろうか？　村田は具体的な例を挙げる。「活」（婚活、妊活、離活、美活など）はその一つだ。

> 「活」の付くことは、怖い。すごく頑張らなくてはいけないような気持ちにさせられる。特に「女」であることの周辺にある「活」は本当に怖い。「女であることをちゃんと頑張れ、任務を果たせ」「女をさぼるな、さもないと不幸になるぞ」と脅されている気持ちになる。（「『活』の怖さとひりつく痛み」）

ここでいう「女」はおそらくシスヘテロ[注]の女性が想定されているだろう。とすると、「女」として頑張り、任務を果たすことは、結婚し妊娠することを意味していることは想像に難くない。このように異性愛規範的社会・皆婚社会によって規範化されている一人の女性として村田は、自分自身の結婚願望・妊娠願望がそこまで強くないと主張しつつ、「はじめての結婚願望」「メリットがない女」「産むか産まないか論」「産むか産まないか論　その二」など、『きれいなシワの作り方』に収録されているエッセイの中で結婚と妊娠について頻繁に書いている。さらに、このような圧力は、女性が大人になってから経験するのではなく、実際に子どもの時から内面化していく規範によるものだと明らかにしている。

> 幼稚園のころ、将来の夢を書いてそれを絵にするというとき、私は「およめさん」と書いた。（中略）
> 幼稚園の先生達が、一様に、「素敵ね」「かわいいわねえ」と、奇妙な甘い雰囲気になり、目を細めて私の書いた「夢」について語り合った。その生温かさ、そういうことを言う女の子は可愛い、という先生たちの態度、「おませさんねえ」と言いつつ嬉しそうな母、そういう大人たちのリアクションを見ながら、「素敵なお嫁さんになること」を目指すことは、大人たちをこんなに喜ばせるんだな、とぼんやり考えていたのを覚えている。（「はじめての結婚願望」）

このようにして大人＝社会の言葉や眼差しが「女の子」を作り上げていく（言うまでもなく同様に「男の子」も作り上げられる）。そして、「女」として生まれた人はそれらの言葉や眼差しを浴びながら一生「女の子」になるための演技を続けないといけなくなる。もはや幼稚園の先生たちや母親を喜ばせたい子どもでなくても、依然として社会の期待に応えるべく頑張り続けるのである。というのは、その抑圧はさまざまな場に潜んでいるからだ。「皺ができるので、そのような表情をあんまりしないほうがいい」と、女性としての価値は男性に選ばれることによって決まるのであって、そのために若さと美しさを保たないといけないと叱る化粧品カウンターの美容部員のお姉さんたち（「きれいな皺のつくりかた」）。同窓会で結婚経歴や子どもの有無についてしつこく聞いてくるクラスメイト（「同窓会より怖いこと」）。テレビや雑誌から向けられる「貴方はちゃんと女を頑張ってますか？」という厳しい問い（「女の人生と化け物」）。「女」であり続けるための任務をきちんと果たし続けているかどうか常に監視されているのである。それも男性中心社会の価値観を内面化している女性に監視されることは珍しくない。

では、このような抑圧に抗うためにどうすればいいのだろうか？　年をとることを恐れず、誇りをもって皺を作る女性、「年をとって、のんびり乳首を出したりパンツを見せたりしながら生きていく」女性（「大人のパンチラ考」）になるために何が必要だろうか？　村田が提案する答えは、女同士の連帯である。人生について愚痴を言える友達。人生について愚痴を言ってくれる友達。そして「膿を抱えて生きる友達をどうすれば言葉で抱きしめられる」（「女の人生と愚痴」）のかを常に考え、抑圧の構造への理解を深めていきながら一緒に戦い続けることが武器になるのである。「同じ女性同士だから分かりあえるはず」ではなく、お互いの差異やその違いの背景にある差別を認識しつつ、女同士の連帯をもっていつか全ての女性たちは男女二元論が作り出した「病」から回復できるに違いない。

（法政大学准教授）

注　「シスヘテロ」とは、「シスジェンダー」（生まれた時に割り当てられた性別と自認する性が一致する人）と「ヘテロセクシュアル」（異性愛者）を合わせた言葉である。

『消滅世界』における村田沙耶香の抗争——呪われる人々のために——

侯　冬梅

『消滅世界』は『文藝』二〇一五年秋号に発表され、二〇一五年一二月に河出書房新社より単行本として刊行された。『消滅世界』は科学技術が高度に発達し、人工授精が定着した先進国で起こった物語である。小説の帯には、「〈セックス〉も〈家族〉も、世界から消える」とあり、『消滅世界』の風景には人間が「ヒト」という名を持つ動物に生まれ変わり、〈消滅〉している状況が広がっている。

現在、日本社会をはじめ様々な先進国を悩ませる出生率と結婚率の低下を考えると、この物語は完全なフィクションとは言い切れない。村田沙耶香は、豊穣な文学表現を通して想像を膨らませ、現代世界の人間関係や倫理観、価値観を震撼させる要素を織り込んでいる。それでは〈消滅世界〉とは、いったいどのような世界だろうか？

「I」—「母」に呪われる娘

『消滅世界』には、娘とその存在を通して〈消滅世界〉の規範に逆らって自分の価値観を堅持する「母」が描かれる。主人公雨音の母は、人間の本能を尊重し、「消滅世界」の常識を狂ったものだと思い、誰も理解してくれなくても、恋をして結婚し、セックスして雨音を産んだ。そればかりか、「狂った世界に負けずに『正常』であるように、正しい世界を赤ん坊の」（河出文庫、155、156頁。以下、引用は河出文庫、18・7による）娘雨音に教え込む。「母」はまるで変わったもののように造形された。物語には、「母」の信じる「正しい世界」と、「母」の思う「狂った世界」が両方とも描かれている。世界はどう狂っても、人間の本能だけは変わらない、というのが「母」の生きる掟であり、この世界を判断する基準である。物語内で世界が狂った原因を、第二次世界大戦中に飛躍的に発展した人工授精研究によるのであると示唆している。

> 第二次世界大戦中、男性が戦地に赴き、子供が極端に減った危機的状況に陥ったのをきっかけに、人工授精の研究が飛躍的に進化した。（中略）戦後になると人工授精の研究はさらに進んだ。人工授精による受精の確立は交尾よりも圧倒的に高く、安全であり、先進国から、今では全世界に広まり、交尾で繁殖する人種はほとんどいなくなった。（18頁）

戦中の「子供が極端に減った危機的状況」を乗り切るために、国が人工授精を発展させたが、戦後になってもこの国は人工授精の利点を捨てない。『消滅世界』は高度な医療科学の発展によって人類の繁殖方法が一変する世界を背景に物語が展開される。村田沙耶香は、『消滅世界』において「交尾」（セックス）による自然的な繁殖方法を否定し、夫婦間のセックスもタブー視されている空間を構築している。これまで自然的な営みとされていた繁殖が、より科学的になった「消滅世界」では性と生殖が分離し、当然のように「性」のありようも変化する。母と父が「性行為」して生まれたという異色の経歴を持つ坂口雨音だったが、消滅世界の規範に染められ、消滅世界の住人になっている。物語では消滅世界と「母の正しい世界」との対峙は、娘と母の衝突に置き換えられている。

「母」は「科学的」であるより「自然的」である。「母」は人工授精が定着した時代に生きながら、わざわざ避妊器具を外し、夫とセックスして雨音を産んだのだ。「母」の挙動にはある種の「狂気」が伺い見えるが、消滅世界で一個人の力で抗争しつつある「母」の執着は凄まじいものである。現世界でのタブーを犯した「母」は、雨音に学校教育とは異なるものを教える。雨音は小学校四年生の性教育の授業をきっかけに、それに気づき、母に嫌悪を覚え始める。「母が作り上げた箱庭の外に」出たいと思い、「母」から離脱する。異常な出生、変わった家庭教育、昔に執着する母を持つ主人公ではあるが、「恋愛」と「セックス」ができるような大人になり、結婚もする。

消滅世界では、避妊処置が義務づけられており、人々の体は完全に管理されている状態にある。人間の体の生産性までが制限される世界は完全な管理社会と言えよう。雨音は初潮の時、避妊処置をした。国家の需要と相まって発展した医療技術は、結果として人間の体の性能を変えた。これは物語において男女ともに避妊処置をされていると表現され、何か不気味なものを伝えてくる。フェミニズムの歴史から見ると、性と生育は権利闘争の場であり、倫理規範が激しく衝突する場でもある。一方には「交尾」(性交)によって自分の遺伝子を持つ子を産んで欲しい「母」がおり、もう一方には人間の体を根本からコントロールする国の顔が覗き見える。主人公にとってはどちらも無視できない強い存在である。恋、性、生殖が分離した消滅世界ではセックスが死語となり、「夫と妻など、家族間の性交渉をすること」は近親相姦とされ、許されない行為になっている。生身の雨音は、結局「消滅世界」の価値観を受け入れるが、その結果、一回目の結婚は夫に性行為を迫られたため、失敗に終わった。

人工授精の発展によって、女性たちがセックスをしなくても妊娠できるようになると、「結婚制度の合理性」が問われていく。様々な生き方を選べる消滅世界において、結婚を選択した雨音は蔑視される気がして、自己を懐疑するようになる。体の本能に従って生きる「母」と比べると、消滅世界の価値観を受けた雨音は生きる掟を見失い、次々と自分を庇ってくれるものを探していく。さ迷う主人公の不安定な姿は、「キャラ」や「ヒト」との多くの恋愛遍歴より伺い見え、「恋愛という宗教に苦しめられる私たちは、今度は家族という宗教に救われようとしている」（96頁）という記述にも表出されている。片山杜秀は、「夫婦間セックスがタブー」視される世界について「平成における人種主義者の登場や、国家が国民をいかに管理して、生殖をコントロールしていくかを主題とする作品の増加は、現代の日本を覆う閉塞感のあらわれです」（佐藤優との共著『現代に生きるファシズム』小学館新書、19・4）と指摘している。

「Ⅱ」―世界に呪われるヒトたち

物語の舞台は高度な管理社会だけではなく、高度な商品社会でもある。この世界では人間をはじめとする全てのものが社会の消耗品になる。性欲は人間の本能なのか、それとも経済に搾取される対象なのか、これは登場人物たちの疑問である。この疑問は水人の「テレビや漫画からいつの間にか性欲や恋愛感情の『種』を体内に植え付けられて、それが身体の中で育ってるだけじゃないのかなーって思うこと、あるよ」、「だって、搾取されてるもん。それでまんまと身体の中で育った恋ゴコロや性欲に突き動かされて、すごいお金使っちゃう。経済を動かすための陰謀なんじゃないかなー」（143頁）という言葉に表わされている。経済的な詐取をあまり意識していない雨音は幼稚園から四十人のキャラと恋をしてきた。それに対して水人は、キャラとの恋愛に、「実際に経済がそれでまわってたりする」「恋をさせるビジネスばっかりで、自分はそのターゲットって感じ。」（118頁）と言いながらもたくさんのキャラと恋をしている。物語の登場人物はほとんど無意識のうちに目に見えない商品社会の虜となっている。自分であるためにはいつも用心しなくてはならない。高度に発展した商品社会になった消滅世界に生きる登場人物は恋をしてもしなくても悩み、結婚をしてもしなくても苦悩し、子供を産むか産むまいかにいらいらしている。全ての登場人物は〈消滅世界〉に安住できず、何かが欠けて発狂している動物のようである。〈消滅世界〉の人々はどうしてこのように生きづらくなったのか。村田沙耶香は、物語において〈消滅世界〉そのものの問題を描く代わりに恋、結婚、セックス、産む性などの事情に苛まれる登場人物の生き様を描出し、この不思議さを伝えながらその真相を究めようとする。

「母」の「赤い部屋」（18頁）を昔の世界の縮図として見れば、「Ⅱ」のパートは急速に変わる世界で、何かが消滅しつつある世界として見える。雨音は二つの世界の価値観に染められ、どちらについて生きても苦しい。生きづらさから解放されるため、まず「母」を離脱し、消滅世界に飛び込んだ。雨音は消滅世界の「その変化が心地よかった」（46頁）という。つまり、目まぐるしい世界と同調して変化する人間は生きやすくなる。

「（前略）人間はどんどん進化して、魂の形も本能も変わってるの。完成された動物なんてこの世にいないんだから、完成された本能も存在しないのよ。誰でも、進化の途中の動物なの。だから世界と符合していようが、いまいが、偶然にすぎなくて、次の瞬間には何が正しいとされるかなんてわからなくなっているのよ」（108頁）

これは友人樹理の言葉である。正しいほうが必ず人間を管理する〈強い世界〉で、狂っているほうが必ず〈個人〉である。商品社会になった消滅世界は均一的な価値観を押し通し、人間の多様性を殺す不寛容なものである。人間性をなくす傾向を示している『消滅世界』は人間を殺す物語とも言える。

村田紗耶香の小説は、表現の方法として、対外的筆法を使わずいつも内へ内へと掘り下げている。『消滅世界』の主人公は昔、現在、未来の三つの世界の価値観を知っていて、「母」に代表される一世代前の物事に強く抵抗するが、そのほかの物事に対しては精いっぱい融合していく。その無抵抗な生き方をする主人公は、「母」に呪われている。「母」と「娘」の闘争の裏に、恋やセックス、家族などが消滅しつつある世界が黙って聳えている。実に呪われるべきなのは〈消滅世界〉そのものではないか。消滅世界の呪いに気づかずに雨音と夫の朔は国の実験台になった実験都市千葉に逃げていく。

「Ⅲ」——人間の終焉地

「家族というシステムは、生きていく上で便利なら利用する、必要なければしない。私たちにとってそれだけの制度になりつつあった」（85頁）。そういう家族観を持って、「Ⅲ」のパートでは、雨音と朔は、紙上の夫婦関係を解除し、家族のシステムがまだ残る世界から実験都市千葉に入る。実験都市は「楽園システム」を実行する場所で、ここでは誰もが人工子宮を付け、誰でも子供を産めるようになっている。雨音は実験都市の価値観を無視し、自分と朔との遺伝子を持つ子を産みたいと思っており、自分の子を都市全体の「子供ちゃん」にするのではなく、こっそりと朔と自分の遺伝子を持った子を生み実験都市から逃げる予定である。

ところで、主人公は「母」の呪いから解放すると宣言するものの、実験都市に入ってから自分の遺伝子に執着する自分を発見する。無意識のうちに「母」のような女になったのである。「辛うじて私を『家族』というものに繋ぎとめているのは、『自分の遺伝子を受け継ぐ子供と会いたい』という気持ちだけだった」（225頁）。雨音は、自分以外の物事がすべて「正常」で、自分は「異常」であるとようやく気付き始める。が、実験都市は巨大牽引力を持つ怪物のようなもので、主人公の周辺の人々は人間の形をしているが、みな「ヒト」と名付ける生物になり、「男も女も均一に、人類のための子宮になったのだ」（257頁）。そして実験都市の「人間畑」の前で、生命の粒に感動した主人公は完全に消滅世界のヒトになる。

「私たちは、全員、世界に呪われている。／世界がどんな形であろうと、その呪いから逃れることはできない。」（257頁）と嘆く主人公は、激しい反動に走る。『消滅世界』の結末では、雨音は実験都市に訪ねてくる異質者の「母」を非常な手段で隣の部屋に軟禁し、自分の子宮と繋がる子供ちゃんと遊んでいる。「『ヒト』の鳴き声は、いつまでも響いていた」（275頁）。〈消滅世界〉は人間を消滅させる不思議な怪物であり、凄く孤独な世界である。

（中国・曲阜師範大学翻訳学院准教授）

『コンビニ人間』

――ポストヒューマン的読みの可能性――クリーマン・フェイ

村田沙耶香は『コンビニ人間』（文藝春秋、16・7）で一五五回芥川賞を受賞し、一躍現代日本を代表する女性作家となった。この作品は海外でも注目され、三〇の言語に翻訳されており二〇二一年六月時点で全世界累計発行部数は一三〇万部を突破している。なぜこんなに反響を呼んだのか。芥川賞の選考委員山田詠美は「コンビニという小さな世界を題材にしながら、小説の面白さの全てが詰まっている。十年以上選考委員を務めてきて、候補作を読んで笑ったのは初めてだった」と、語っている。コンビニというありふれた身近な場所を題材にブラック・ヒューモアに満ちた世界が、多くの人々の興味を集めたのだろう。

三六歳で未婚、彼氏なしでコンビニのアルバイト歴一八年目の古倉恵子は子供の頃から「変わり者」と言われ、「普通」の感覚が分からずに過ごしてきた。人間関係は希薄、恋愛経験も皆無だった。大学在学中にコンビニでバイトを始めコンビニで出会った人々の真似をしながら卒業後も就職せずにそのままコンビニ店員として働き続けていた。ある日、コンビニでのバイトは「婚活」が目的だという白羽が入ってきて、やがて二人は妙な擬似同棲生活を始める。白羽に「コンビニ的な生き方」は恥ずかしいと言われた恵子はバイトを辞め、新たな就活を始める。しかし、コンビニこそ彼女の生きていく基準であり生き甲斐でもあることを悟り、恵子は「コンビニ店員」から「コンビニ人間」へと脱皮する。恵子は普通の人間を擬態して社会に溶け込むことを止め、自分の全てがコンビニに帰属していくような存在として生きることを決断したところで小説が終わりを迎える。

恵子の「普通でない」生き方を通じて、社会的既成概念(それは結婚、出産、キャリア、人間関係、ジェンダーなどあらゆる面で)の不条理さを徹底的に検証することが作者村田沙耶香の意図である。普遍的で大きな社会的テーマを意図的に極限された小さな空間(一軒のコンビニ)で展開していく作品になっている。この作品は多様な読みができるが、本小論はコンビニという空間が恵子にとってどのような意味を持つのか、さらに後期資本主義とポストヒューマン批評の枠組みの中でのこの作品の解読に焦点をあてる。恵子の「他者性」を社会規範からはみだす社会的敗者とする恵子観を逆転し、恵子の未来社会における位置とその生産性、可能性を考察する。

コンビニというコンセプトは日本独創ではない。が、日本の社会事情によって公園やデパートなど公的なスペイスに設営され、日常生活と密着する便利さと何処でもいつでも気軽に出入りする遍在性が受け入れられバブル期の代表的な消費パターンの一つとなっていった。特に九十年代後半からその集中性と密度、スピーディなサービスと24時間営業の利便性と商品の多様性のゆえ、プレミアムな商業空間(多品種少量生産の、時と所に応じた個々人への供給)だけではなく、今やもう一般の日常生活の一部になり、誰もが一日一回か数回入り込む「生活空間」ともなっている。

均質化されている日本社会、それは就職から結婚、出産までいわゆる元々一個人の自由選択を一律的に社会化・均質化し、その「世間」の基準から外れると除外されていく構造をコンビニという空間にも反映している。どこのコンビニに入っても大体決まり切った挨拶の文句と類似した商品に出会う。店の特色をアピールするよりも、消費者に無意識のうちに同質の消費活動を機械的に行なわせる。「コンビニ」は従来の生産中心の資本主義からサービス消費中心になっていく二十世紀後期の象徴とも言える。村田沙耶香はこのような均質で不毛な空間を存分に楽しみ、あえてこの空間から存在の意味をみつけ、この空間と一体化し、共生していこうとする女性主人公を設定した。まさに不可思議な空間と言えよう。

女性の日本社会における生きづらさというジェンダー論点は多いが、この小説の白羽も同じく社会規範に悩まされ、適応できない男性となっている。恵子と白羽が社会からはみだした位置に置かれた理由はジェンダー規範というよりも年齢的、教育的に社会的期待値に相応しい経済活動の軌道に乗っかることに無関心（恵子の場合）、あるいは無能力（白羽）にあるのではないか。つまり、二項選択のジェンダー適性の他、経済の参与度と経済活動の成功か否かにもこの二人の社会不適合者は共通しているところではないか。久米依子はジェンダーのテーマから経済の枠組みへ移してテクストを読み取る可能性があると主張し、「「枠をはみ出したら」殺されかねない、多様性を認めない排除型社会への抵抗」という作者の問題意識を鋭く抉り出す。「女性のセクシュアリティが抱え込む問題だけではなく、経済活動に付随する自己定位の在り方、その得意な様相を描いたこと」（日本大学国文学会編「サービス業と社会的承認――『コンビニ人間』と異世界男子の時代に」『語文』21・06・14―28）で世界的な話題作となり得たと指摘した。勿論、これは女性の問題という狭い領域のテーマから抜け出たから小説が成功したとか、女性の視点を脱したことで世界的な文学となる可能性が開けたと言っているのではない。女性問題を徹底的に追及したところに経済状況や労働とジェンダーとの関わりが浮かびあがるのである。ジェンダーと労働は別問題ではなく、むしろ一体両面の対関係になっているのである。

「社会人」「まともな人間になる」ための就職面接をやめ、恵子はコンビニの「声」（「音」ではないことに注目すべき）に惹かれ「私は人間である以上にコンビニ店員なんです」（149頁）と宣言して白羽と別れ、完全に「コンビニ店員という動物」（150頁）に移り行くところで小説が終わりを告げる。このシフト、人間から動物に化し、さらに

「世界の部品」として生まれ直した過程をポストヒューマニズムのレンズを通して考察してみる。

　マニュアルを完璧にこなす模範アルバイト店員である恵子は元々頭で働くよりも身体を通して仕事を体得することは物語の前半の箇所に示されている。コンビニの「音に反応して身体が勝手に動く」（3頁・傍線筆者、以下同）。「スピードが勝負なので、頭はほとんど使わず、私の中に染み込んでいるルールが肉体に指示を出している」（4頁）。「客の細かい仕草や視線を自動的に読み取って、身体は反射的に動」き、ついに「世界の部品になって、この「朝」という時間の中で回転し続けている」（6頁）。というように自己物質化されていく過程が呈示される。一個人の身体が頭より肉体機械となって行動しているのだ。

　『コンビニ人間』は、ポストヒューマン・テキストの可能性を有する。ポスト・ヒューマニズム理論には二つの土台がある。ひとつは「生」いわゆるビオス（bios 有機細胞）に焦点を当てる傾向である。つまり、人間と非人間――それは動物、植物、バイ菌、ウイルスに至るまでの有機的組織の相互作用（interaction）に注目するのだ（ロージ・ブライドッティ『ポストヒューマン』フィルム・アート社、19・2）。もう一つの考えは、無機的テクノ系ポスト・ヒューマニズム（cognitive posthumanism）である。テクノロジー、特にＡＩの発展に伴って人間社会が変化することは避けられないことは疑いようがない。そのため、人間はいかにＡＩと共存していくのかという問題に関心が向けられる。ここにも実に多種多様な思考様式がある。例えば有機的人類と無機的機械とが共存するサイボーグもポストヒューマン的な想像のひとつであり、しかもこれはすでに事実になりつつある。このように人間と機械が共存し、機械によってより優れた人間になるというトランスヒューマニズム、すなわち超人間主義（transhumanism）もひとつの選択肢である。

　テクノ・ポストヒューマニズムはヘーゲルの超越的人間（Transcendental Men）の概念にまで遡って考えること

ができると思われる。例えば、レー・カーツウイルが提起した「シンギュラリティ」（Singularity 日本語訳「収穫加速の法則」）という概念、それはAI技術が加速状態で発達していく終点においては人間の脳の限界が超えられ、人間と機械が統合された文明になるというものである。しかも人類は機械による統治に屈服するしかないと主張する過激な信者もいる。このようなテクノロジーによってもたらされる悲観的なポストヒューマン的終末観（eschatology of posthuman）もあり、機械と統合された人間の人間性をさらに強めようという比較的楽観的なトランスヒューマン論もある。ブライドッティもサイボーグ、遺伝子工学、データマイニングについて言及し、テクノとバイオ・ポスト・ヒューマニズムの接点が資本主義であることを指摘している。次に主にバイオ的な視座から『コンビニ人間』について考察する。

　機械化されたトランスヒューマンなりつつある恵子は動物化・野人になりつつある白羽をペットのように飼う。ここでは人間としての最も重要な欲望、それは孔子の言う「食、色、（人）性なり」の、食欲と性欲が無に近い最小限なものになった状況である。恵子は茹でた白菜に醤油をかけて毎日のように食べる、そして白羽に同じものを餌としてやっている。二人は同居人でありながらセックスはもってのほか友人ほどの馴染みも一切なく、生存するために食べなければならない食欲、種族継続していくための色欲などの本能とは程遠い。「狩りをしない男に、子供を産まない女」（84頁）は生の営みのための家族構成、人間関係、適応性と社会的貢献などの枠組みからはみ出す〈半無機的〉な生物に退化（或いは進化）していくのだ。

「気が付いたんです。私は人間である以上にコンビニ店員なんです。人間としていびつでも、たとえ食べて行けなくてのたれ死んでも、そのことから逃れられないんです。私の細胞全部が、コンビニのために存在しているんです」（149頁）。

　小説の最後に恵子が悟りの境地に達し、恵子なりの生き甲斐を見つけ、変身が完成を遂げた。

資本主義化されたサービス産業は、厳密に規格化された商品を提供し、労働者にマニュアルに従って接客することを徹底的に要求する。つまり、工場で重視された身体の動作よりも、接客する際の言葉遣い、表情、さらにはそれらの基盤である感情が管理されるべき対象となる。

少子化日本が直面する難題の一つは労働力不足である。ＡＩ技術が急速に発展していくその先に人間がどのようになるのか。村田沙耶香は資本主義が高度化することにより、「生」、すなわちわれわれの肉体的なものも精神的なものも含めた生命の全体が、資本のロジックのなかに包み込まれてゆく理不尽さを恵子という人物を通して不気味に揶揄いながら展開する。読者につくづく考えさせる力のある作品である。

（コロラド大学名誉教授）

＊小説の引用頁は『コンビニ人間』（文藝春秋、16・7）による。

『コンビニ人間』

——存在変容の可能性としての物語——　藤村耕治

「コンビニ人間」（「文學界」16・6）が第１５５回芥川賞を受賞した際、殆どの選者は「笑い」「ユーモア」を讃えたが、山田詠美はそこに「アイロニー」を読み取り、川上弘美は「おそろしくて、可笑しくて、可愛くて」と表現した。また、結末について島田雅彦は「能天気なディストピア」と捉え、堀江敏幸は「読後に差し込む不思議な明るさ」に言及している。本作が複雑で多様な魅力をもつ証左であるが、発表当時、従来の村田作品とはやや異質なものを感じた読者も多かったのではないだろうか。

本作発表前後の村田沙耶香は、常識・既成概念・社会規範、あるいは無意識に内面化された思い込みや価値観などに対する違和感、またそれらを押しつけてくる同調圧力や疎外感に苦しめられ、時に抗い、時に順応していく人物たちを通して、〈普通〉〈正常〉とは何かを問い続けてきた作家、とまとめることが出来よう。

『宮原昭夫評論集―自意識劇の変貌』（言海書房、17・3）に収められた村田沙耶香論は、デビュー作から「コンビニ人間」までの殆どの作品を精緻に分析しており、現在のところ最重要な必読文献と言ってよい。村田が大学時代に横浜文学学校で師事し、現在でも小説の恩師と仰ぐ宮原は、村田作品を第一期・「授乳」（「群像」03・6）以降、第二期・「街を食べる」（「新潮」09・8）以降、第三期・「生命式」（「新潮」13・1）以降と分け、「コンビニ人間」を「第四期の始まり」を示すものとしている。中村文則との対談「我らコンビニ出身作家」（「文學界」16・9）における村田の「へんてこな設定」と「リアルな世界」を「いつか融合させたい気持ちがあったんだと思う」という発言を引き、本作が「第一期から第三期までを統合しようという意図」で書かれたと述べる。

確かに、現実社会の家族（特に母）や学校・職場における関係性や、男女の性別・性欲・セックスなどを通して、常識や規範との違和に苦しむ人物を描いた初期（「リアルな世界」）から、架空の社会制度を創出して現行の〈システム〉の流動性・可変性を暴き、奇妙でグロテスクな世界像を通して読者の思惟に強烈な揺さぶりをかける続く時期（「へんてこな設定」）までの作品群と、「コンビニ人間」の差異は明瞭であり、宮原の分析は、一過性の〈システム〉でしかないにも拘らず人々が囚われている〈いま・ここにある世界〉を「現世」と称することも含めて、当を得たものと言える。けれども、設定自体は「リアル」な本作において、「へんてこ」とは何を指すのか。主要人物である恵子や白羽は、確かに奇妙で「現世」から逸脱してはいるが、マニュアル通りにしか生きられない人間や身勝手な理屈で社会を呪う不適合者のデフォルメされた姿と考えれば、むしろより「リアルな世界」を描いた作とも読める。はたして、村田が言う「融合」とは、どのような内実を持つのであろうか。

語り手の古倉恵子は36歳で恋愛経験もなく独身、大学時代から18年間アルバイトのコンビニ店員として働いているが、その生活のすべてを有能なコンビニ店員として機能させるために捧げている。コンビニで働くことで初めて「世界の正常な部品」としての自己を認識し、「今、自分が生まれたのだ」と感じた彼女にとってコンビニは聖域であり「宗教」でさえある。つまり恵子は、他のコンビニ店員とは異質な存在としてまず立ち現れる。

恵子の行動の唯一の指針は、少女期の象徴的な三つのエピソードから明らかなように「合理的」に生きることであるが、裏を返せば合理性以外の常識や感情つまり「普通」が分からない。それが世間からは異質で奇異なものとして見られることを悟ってからは、極力自分を出さず、周囲の真似をし、指示に従うことが生きるための「一番合理的な処世術」だと考えるようになる。彼女にとって「完璧なマニュアル」や店員として真似できる人間が存在するコンビニで働くことが最も理に適った生き延び方なのだ。そんな恵子は、結婚や就職に関する「普通」を語る地元の友人たちといると「異物になっている」自身を感じ、「正常な世界」によって「削除」されないために、恋愛・性交・結婚・出産……と続く「現世」的価値観による「女」としての役割を装うことが「合理的」だと判断するにいたる。その結果、恵子が「飼う」ことにしたのが、白羽である。

恵子の勤めるコンビニに「婚活」のためにアルバイトとして務めるが、怠惰なうえにルールを無視して馘になる三〇代半ばの白羽は、恵子同様就職経験も恋愛経験もない、「現世」的な意味で言えば「お荷物」でしかない。それでいてコンビニで働く人たちを「社畜」「底辺」と見下し、自分が不当に扱われるのは社会の「機能不全」のためであるという被害者意識にまみれ、この世は「縄文時代」から全く変わっていない「ムラ」社会だと断言する。恵子との同棲を社会に対する安全弁として利用しつつ、楽で都合の良い生活をするために就職することを恵子に強いる白羽は、読み手の嫌悪感をいやでも掻き立てる。あまつさえ、彼の「現世」批判が「現世」の価値観そのものに無自覚に立脚したものであることが明確になるに至って、白羽の〈クズ男〉っぷりは頂点に達する。

けれども留意したいのは、彼を〈クズ〉と感じる価値観そのものが、誰の中にも無意識に沁みついている「現世」の価値観に依るものに他ならず、恵子の視点によって「現世」的なものを相対化された気になって、安心して彼を嗤う読み手は、自身の裡にも幾ばくかはあるかもしれない〈白羽的なるもの〉を自覚することがないということだ。それでは、「現世」の価値観で「現世」批判をする白羽と同じではないか。村田沙耶香は、このように幾重にも読み手の価値観や思い込みを揺さぶる仕掛けを張り巡らせている。

恵子には、世界の「異物」となることや歳をとって使えない「部品」になることへの漠然とした恐れはあっても、「現世」の価値観そのものが理解不能である故に、それに囚われることがない。恵子は白羽にどれほど酷く罵られても、社会への怨嗟をぶちまけられても、冷静に納得したり静かに反論したりするのみである。それは、恵子の合理的思考からなされる反応であって、いかに超越的に見えようと、あくまで客観的に自身の「普通」を以て白羽に対する彼女の言葉には、ツッコミに対してなぜツッコまれるか分からないまま天然のボケを繰り返す漫才のようなユーモアが漂う。白羽と「同棲」していることを知った店長やバイトリーダーの泉らが仕事そっちのけで盛り上がるさまを見たときの恵子のちぐはぐな反応もそれと同質のものであって、いわば共通言語を持たない人間同士が永遠に理解し合えないような、すれ違いが生むユーモアなのである。それが冒頭で言及した「可笑しさ」の本質であると言えるが、もとよりそれを以て本作を軽妙でユーモラスな作品と読むことはできない。初期作品に見られる主人公たちの「現世」とのすれ違いは、ひりひりするような切実な苦悩を持つ故に、グロテスクな形でしか現れなかった。恵子には「現世」の価値観が理解できない故に苦悩がないだけで、その言葉や反応は、逆に「現世」のグロテスクさをより強調するユーモアとして働いているのである。

　恵子は初めてコンビニ店員として「生まれた」瞬間から、有能な部品という在り方で「現世」に適応することに成功してきた。しかし、白羽の思惑と周囲からの圧力によって「現世」に包囲され、コンビニを辞めて就職する成り行きとなった恵子は、コンビニという「世界」における「部品」としての自身が、その限りで「強制的に正常化」されているだけの代替可能な存在であること、他のコンビニ店員が「現世」の存在でしかないことを改めて突きつけられる。唯一の「世界」から「切断され」た彼女は、何をして良いかわからず、「縄文時代」から続くマニュアルに従って、「動物としての合理性」を基準に白羽に子供を作ることを打診するも、あっさり拒否されてしまう。しかし一か月後、面接に行く途中でコンビニによった彼女に、劇的な変化が現れる。

　混雑時の店内で、恵子は冒頭から繰り返し描かれるコンビニの「音」ではなく、その「声」を聞く。「コンビニがなりたがっている形、お店に必要なこと、それらが私の中に流れ込んでくるのだった。私ではなく、コンビニが喋っているのだった。私はコンビニからの天啓を伝達しているだけなのだった」。恵子は、「細胞全部が、コンビニのために存在している」「コンビニ店員という動物」として「肉体のすべてを改造していかなくてはいけない」と悟る。これはもともと異質な「コンビニ店員」だった彼女が単にそこに戻ったのではなく、コンビニの声に従う「本能」をそなえた〈コンビニ人間〉にあらためて誕生し直したことを意味している。それは最後にコンビニのガラス窓に映る自身を見ながら新生児室のガラスを想起する描写から明らかであろう。

　興味深いのは、先の島田と堀江の選評に示されているように、発表時からこの結末をどう読むかがはっきりと分かれていたことだ。端的に、〝人間性を喪失し、世界の部品になりきる主人公を描いた絶望の物語〟か、〝現実世界の普通や常識をあっさりと乗り越えた新しい人間の誕生を描いた物語〟か、という二つの解釈である。作品の解釈は多様であって良いという一般論はさておき、二つの解釈がこもごも去来する本作の不思議な読後感の所以を考えようとするとき、前掲の対談の中の中村文則の発言が示唆を与えてくれる。中村は恵子のあり方を「社会的なルールから外れて自分の意思で自分だけで生きていくっていうことはちょっと違う。反面で、個人がシステムに埋没していく話かというと、そうでもない」さらには「ハッピーエンドかバッドエンドかっていう観点も超越している」と述べる。これは本作が志向しているものを正しく指摘した評言と言える。村田沙耶香がここで描いたのは、絶望でも希望でもない、人間の存在変容の可能性なのだと私は考える。つまり、恵子は完全なマニュアル人間として「現世」に取り込まれていくのではなく、〈コンビニ人間〉という別種の人間存在のあり方を示しているのであり、それは人間の固定された存在性への挑戦でもあったはずである。

　あらためて言えば、村田沙耶香は、「現世」の中で固定した考え方しかできない人間存在に疑問を提示し続けてきた。たとえば彼女における性のモチーフはすべて、「女だから」という固定観念からの解放と自由に淵源する。主人公たちがしばしば受動的な性交を忌避するのも、人工子宮による男性の出産という設定が繰り返されるのも、女性という存在形態への疑義の表明である。それはやがて、性別を超え無性化した人間存在を志向することになるのだが、「地球星人」(「新潮」18・5)や「変半身」(『変半身』筑摩書房、19・1)などに至って、「リアルな世界」から出発しながら、現実を越えた異形の存在へと変容する人間を創出するという展開を考えると、村田沙耶香文学における主題は、極めて実存的・存在論的な側面を持っているということが分かってくる。

人間が生きるすべての時代における「現世」は常に流動的なものに過ぎないと認識する村田沙耶香にとっては、新しく誕生した〈コンビニ人間〉という存在もまた過渡的なものに過ぎまい。それでも、人間は〈こうでしかあり得ない〉存在なのではなく、〈こうもあり得る〉存在なのだという可能性を開いて見せたのだと言える。その意味で、本作はまさに「リアル」と「へんてこ」が融合した、画期となった作品に他ならないのである。

なお、30か国以上の言語に翻訳された本作に関して、Piyanuch WIRIYAENAWAT「村田沙耶香『コンビニ人間』——タイにおけるその翻訳と文化の受容をめぐって」(「跨境：日本語文学研究11」高麗大学校日本研究センター、20・11)などの翻訳に関する論や、飯田祐子「村田沙耶香とジェンダー・クィア」——『コンビニ人間』、『地球星人』、その他の創作」(「JunCture:超域的日本文化研究10」名古屋大学大学院人文学研究科附属超域文化センター、19・3)などのジェンダー論的論考といった、多様な視点からの先行研究が数多く書かれており、「社会文学」46号(17・7)が「小特集村田沙耶香『コンビニ人間』感想集」を組んでいる。また、各種インタビューや対談における村田自身の興味深い言葉(You Tube動画を含む)も多く残されていることも付記しておく。

(法政大学教授)

『コンビニ人間』

——「常識」・「正常性」と闘う世界文学的作品——

前みち子

二〇一六年刊行、同年芥川賞受賞作の『コンビニ人間』はミリオンセラー作品で三〇カ国語に翻訳され、国際的にも高い評価を受けている。この小説で村田沙耶香は最も注目される現代作家の一人となった。

主人公古倉恵子は三六歳になるコンビニ店員で、正規の就職もせず大学時代に始めたアルバイトを続けている。恵子は幼少のころから奇妙な子供として扱われていた。ある日公園で死んでいた小鳥をみなが花を添えてお葬式をしようとする時、幼い恵子は父親の好きな焼き鳥にしようと提案して、皆に気味悪がられる。このようなエピソードにも、なぜ同じ鳥が区別されて一方は同情され、他方は焼き鳥にされるのかという疑問が浮かんでくるが、恵子の周りとの理解の齟齬は大きく、彼女は次第に自分のうちに閉じこもるようになっていく。大学一年のとき、コンビニでのアルバイトを見つけて初めて恵子は「自分が生まれた」(20頁)と感じる。

こうして子供の頃から普通人の常識を身につけていないため「異物」扱いされてきた恵子は、すべての作業過程にマニュアルのあるコンビニ世界に自分の生きる場を見つけるが、世間ではコンビニで働くことは、まともな仕事とはみなされず、ここでも恵子は結婚も就職もせず、いつまでもアルバイトを続けていることの説明を求められる。コンビニで働き始めたもう一人の異端者白羽は、普通の世界の「制度」を、「縄文時代から変わっていないムラの掟」と見抜いているが、恵子とは違ってそれに迎合し毒されている人物でもある。男として就職せず、結婚して家族を持つこともなくいわば落伍者としてコンビニをもクビになった白羽に、恵子は偽装同棲を申し出、彼を風呂場でペットとして飼うことになる。周囲はこれを彼女に恋人ができて同居していると誤解して持てはやす。白羽に勧められ、コンビニを辞めて就職のため面接に行く途中でコンビニに寄った恵子は、そこで自分がコンビニ人間以外の何者でもないことを自覚し、また自分の唯一の生存の場であるコンビニに戻っていく。

現代作家の中でも村田沙耶香ほどジェンダーに関する問題を鋭く追求している作家はいないと言っていいだろう。『コンビニ人間』では、恵子の世間の常識に晒されていない見方から世間のいわゆる常識を見ることで、均質化・規格化された社会のおかしさが浮き彫りになる。ここではジェンダーの問題を含めて現代社会で「正常」とされている「普通人」の規範化された生活が、徹底的に疑問視されている。女性の場合、ある年齢までに就職し、結婚し子供を産み育て、家庭を守っていくなどの生き方が期待され、このような慣習は圧倒的な強制力を持って女性たちの生き方を圧迫する。慣習から外れた恵子は異物とされ、心配する妹から「病気」だと見られる。恵子自身もそのような世間的な見方を——その意味を理解しないながらも——「病気」を治さなければならないと自分に言い聞かせ、周りの人間の行動を模倣することでカムフラージュして生きている。

このような一見従順にみえる主人公の考え方に、村田沙耶香の規範や制度に対する徹底した違和感と批判が表現されていると同時に、「正常」とされる考え方に潜む差別の構造への洞察が示されている。表だった批判や抵抗をしない主人公によって、「正常な世界はとても強引だから、異物は静かに削除される。まっとうでない人間は処理されていく。そうか、だから治らなくてはならないんだ。治らないと、正常な人たちに削除されるんだ」（77頁）と実感され、「正常性」のもつ暴力・強制力や同調性への圧力が明示されている。一方で恵子は、このような社会を批判する白羽の偏った論理に対して冷静で鋭い批判と思考力を見せている。この小説の中では、コンビニ人間としての主人公によって、「正常」とみなされるジェンダー関係、セクシュアリティ、性別、恋愛、結婚、家族や職業といった制度的規範が問い直され、枠をはみ出した人間を排除する社会への抵抗が示されている。

二〇一四年に開催された「文学と女性性」をテーマにした座談会の中で、村田沙耶香は自分が「女性として生きていくことに圧迫感を抱いていて」、よく怒りをモチベーションに小説を書いていると思われることが多いが、怒りではなく、「いろいろな既成概念が壊れたり、物事の意味が溶けて崩れていくような実験的な行為に興味が」あり、「その先にある光景が知りたい」という好奇心こそが原動力になっていると述べている。その発言通り、村田は様々な作品の中でジェンダーやセクシュアリティに関して幾多の実験を繰り返しながら、性差や性差別を越えて、人類の絶対性そのものが意味を持たなくなるような未来を模索している。

『コンビニ人間』が多様な読み方を許す理由は例えば、普通世界の規範に適合できず、規範を拒否する主人公がなぜ逆に、全てがマニュアル化された後期資本主義システムの最たるコンビニという世界に生きる場を見つけることができるのか、という矛盾にも見られる。そのためすべてが交換可能なコンビニ的な生活への決意は、「グロテスク」でディストピア的なものとする論評もあれば、これは「社会の中に自己を埋没させる」「合理的な」生存方法だとして評価する解釈も見られ、議論が分かれている。

コンビニが現代社会の底辺にあることも凝視され、ここは社会にあぶれた白羽のような人間や、パートの主婦、アルバイト学生や外国人など多様性を許す世界でもある。コンビニでは、働くメンバーの一員であれば「性別も年齢も国籍も関係なく、同じ制服を身につければ全員が『店員』という均等な存在だ」(38頁)とされていて、この意味では差異が意味を持たない寓意的な世界をも象徴しているのかもしれない。

恵子にとって、コンビニは唯一の生存の場とされているが、コンビニそのものは一方的に理想化されて描かれてはいない。「ここは強制的に正常化される場所なのだ。異物はすぐ排除される。」（58頁）とも言われているように、コンビニも別の意味で人を正常化・規範化する場として描かれている。また、恵子だけに聞こえる「コンビニの声・音」も宗教的・カルト的な表象のようでもあり、実際、コンビニ店員たちの誓いの言葉の唱和の場面は白羽からも「なんか宗教みたいっすね」（46頁）とも言われている。つまり恵子にとっての救いの場であるコンビニも両義的に描かれているのである。しかしながら、コンビニの声・音は恵子にとっては天からの教示として描かれており、最終場面ではこの教示を受けて彼女が新人類・「コンビニ人間」として再生・生成する過程が暗示されている。これは彼女が自分の存在の意義に目覚めたことを意味するのか、あるいは資本主義世界の象徴たるコンビニのマシーナリーの中で、人間よりは機械の一歯車になりきることを意味するのかは明らかではない。

『コンビニ人間』という不思議な物語は、米国ジャーナル『ニューヨーカー』の評論家に、「恵子とはどういう人物なのか、読者には決して完全にはわからない」と評された、謎に包まれていて、さまざまな解釈が可能な物語でもある。だが、内容だけではなく、この小説のアイロニカルなスタイルにも注目する必要がある。この物語はリアルな世界が最初からアイロニカルで寓意的に語られており、冷静で透徹した恵子の眼差しによって常に両義的に描かれている。しかも村田の作品としては珍しく、皮肉であると同時にユーモラスな観察と批評が多々あり、それがこの難しい問題を扱っている作品に、不気味な結末も含めて不思議な明るさと希望を与えている。

（デュッセルドルフ大学名誉教授）

＊『コンビニ人間』の引用ページは単行本による（文芸春秋、16・7）

『地球星人』

——魔法少女から宇宙人への変態をめぐって——

遠藤郁子

『地球星人』は、二〇一八年八月に新潮社から刊行された。その後、世界各国で翻訳出版され、イギリスＢＢＣが特集した「The best books of the year 2020」（「BBC Culture」https://www.bbc.com/culture/article/20200327-the-best-books-of-2020-so-far）の一冊に選出されるなど、高く評価されている。この小説の主な焦点人物である奈月は、家族や社会との齟齬を抱えながら、自身を魔法少女と信じることで少女時代を生き延びた。そして大人になると、徐々に宇宙人としての自覚に目覚めていく。この変化の意味に着目したい。

小学生の奈月いわく、彼女が持っているぬいぐるみのピュートはポハピピンポボピア星の魔法警察からきた使者であり、彼女はピュートからステッキとコンパクトをもらって魔法使いとなり、「魔女」から「地球」を守るべく戦っているという。普通の少女があるとき不思議な力で魔法の道具を得て正義の代行者となり悪を挫くという設定は、『ひみつのアッコちゃん』（テレビ朝日系列、69・1〜70・10）以降、日本のマスメディアによって盛んに消費されてきた〈魔法少女もの〉の型を踏襲している。

しかし、奈月がここで守ろうとしている「地球」とは具体的には何なのか。「大人に捨てられたら子供は死ぬ」と強く恐怖する奈月は、「大人が喜ぶ子供になって、いつか大人が喜ぶ大人にならなくては」という強迫観念に囚われている。彼女の魔法の力は、家族の疎外に耐える場面や塾講師に性的な行為を強要される場面などで、主に彼らの暴力をやり過ごすために発動する。しかし、暴力に忍従することは、暴力を抑止する決定的な力に必ずしも結びつくものではない。むしろ結果的に暴力を温存し、さらにそうした暴力を容認している現実世界の在りよう自体も強化する危険性をもっている。

斎藤美奈子『紅一点論』（ちくま文庫、01・9）は、いわゆる〈魔法少女もの〉の魔法少女を、男親にとって理想的な「男社会に都合のいい女性像」と喝破した。そして、魔法少女たちの華麗な変身に対する少女たちの憧憬を、伝統的な性役割の内部に留まり美しい蝶への成長を夢見る「バタフライ症候群」と名付けた。しかし『地球星人』において、誰にも助けを求められない状況の中、過酷な現実を耐え抜くために自身を魔法少女と信じようとする奈月の姿は、「バタフライ症候群」の一言では片付かない切実さとともに、魔法でさえも修復し得ないほどに壊れ切った現実世界を逆照射する。

しかし、奈月が魔法によって必死に守るこの現実世界の先で彼女を待ち受けるのは、どのような未来なのか。この小説では、奈月が住む千葉のニュータウンは「工場」と表現され、そこにぎっしりと居並び人間を製造する「人間の巣」は、繭とそれを作る蚕のイメージに重ねられる。蚕は、その長い家畜化の歴史の中で人間の要請に合わせて〈改良〉され、飛ぶ能力を奪われた。そして、近代以降、養蚕が国策化され、国家的管理が強化される中で、繭という「入れ物」のみに「道具」としての価値が付与され、蚕自体は繭の中で失われることが自然化していった。こうした背景をもつ蚕のモチーフは、「バタフライ症候群」とも称される魔法少女への憧れが、実際には美しい蝶として花畑を飛び回る未来どころか、成虫になることさえ望まれない蚕という家畜の生によって贖われる現実を示唆する。

さらに、蚕同様に、人間社会の「道具」として活用可能な部分のみに命の価値がおかれ、身体が抑圧される構図は、『地球星人』において、「工場」の「道具」として機能しない人間を抑圧し、周縁化する構造として描かれる。魔法を拠り所に過酷な少女時代を生き延びた奈月は、「魔女」との熾烈な戦いで身体機能の一部を損傷した。その影響から、大人になっても「工場」が求める「生殖器」として機能し得ない奈月は、「工場」の疎外に晒され続ける。「工場」の価値観にどうしても同化し得ない奈月は、彼女の理解者である夫の智臣と従兄の由宇とともに千葉から秋級へと逃れ、「工場」の人間たち（地球星人）とは異なる自己を、ポハピピンポボピア星人という宇宙人として創り直していく。

社会を維持する「道具」としての有用性のみが価値基準の社会では、「道具」として利用し尽くされた結果、もはや有効に機能しなくなった土地もまた、使い捨てられ、放棄される。そうした周縁化を体現するのが、養蚕の記憶を漂わせつつ打ち捨てられた秋級だ。奈月の祖父母の家がある秋級は、少女時代の彼女にとって唯一の心を癒される場であった。しかし、大人になった彼らが再訪したときには、すでに養蚕だけでなく人々の営み自体がほとんど失われた限界集落、「工場跡地」と化していた。

ただし、周縁化は逆に秋級を「工場」の支配から逃れ得る場所として、彼らがそれまでとは異なる形で生命を取り戻すことを可能にする。周縁部だからこそ、彼らが地球星人ではなくポハピピンポボピア星人として自己規定し直しても看過され、地球星人のルールに囚われずに自らの生を第一義とする生き方をゼロから構築していけるのだ。彼らの生の模索は徐々にエスカレートし、ついには互いを貪り食い合う行為にまで発展する。一般的な人間の価値観では、彼らの行為は人間社会からのグロテスクな逸脱として否定されるだろう。しかし、奈月が「魔女」との戦いで損なわれた身体を、やっと「全部、私のものになった」という実感とともに取り戻すには、これほどの逸脱が必要とされたのだ。

この奪還の先に、奈月は「無数の蚕が部屋から飛び立って、鱗粉を撒き散らしながら飛んでいく光景」を幻視する。ここに描かれた蚕は、もはや人間の「道具」として繭に閉じ込められるために飼いならされた家畜などではない。飛翔可能な新たな姿へと変態し、どこへでも行ける、別の生の可能性を体現する存在である。この時、奈月らが布団にくるまれて互いを食べ合う姿は再び繭に例えられる。三体で作るそれは、一頭が単体で作る通常の繭ではなく、複数の蚕が共同で作る「玉繭」という稀に発生する異形の繭に似る。一般に「玉繭」の糸は複雑に絡まり合い、製糸の原料としては廃棄される不良品である。しかし、小説は「玉繭」のような逸脱にこそ新たな可能性を見出している。

改めて考えると、蝶も蛾も繭を作る前の幼虫と繭を破って出てくる成虫の姿は、同一の生物とは考えにくいほど大きく異なる。ベルンド・ハインリッチ『生から死へ、死から生へ』（化学同人、16・8）は、昆虫の蛹の内部では、細胞の大部分が入れ替わるようなドラスティックな生命の変革が行われると指摘する。蛹の内のような「適当な環境」がそれまで眠っていたキメラ遺伝子を活性化し、新たな生物への変態を促す。蛹の内には〈キメラ〉としての生が孕む死と再生の可能性が刻まれているのだ。

奈月は「ポハピピンポボピア星人としての感覚は、眠っていただけで、確かにこの「入れ物」に宿っている」と感じている。『地球星人』は、他の生物同様に人間もまた変態の可能性を秘めた〈キメラ〉であることを、ポハピピンポボピア星人へと変態した奈月たちによって描き出す。宇宙人たちは、人間とはこのようなものだ、と私たちが自己規定する枠組の狭さと構築性をあばき、揺さぶりをかけ、眠る〈キメラ〉の可能性、新たな姿へと変態し得る可能性を示唆している。

（石巻専修大学教授）

『私が食べた本』

——食べ続けていくという覚悟——

八上祐子

村田沙耶香『私が食べた本』（朝日新聞出版、18・12）は著者初の書評集である。デビューから十五年間に亘って執筆された、「本」にまつわる書評・エッセイが纏められている。それが他のエッセイ集と異なる性質を持つのは、本が媒介し、村田が触発された主張が、そこから導き出される構造があるからだ。

松浦理英子『犬身』の書評の「愛している本のこと」の中で村田は、「表面上は幸福」であったが、「わかりやすい幸せというパッケージの中に言語化できない違和感」を抱えていた、と二十代の自身を追想し、その頃に読んだ本作品から、その後の生きる指針を学び取ったとする。物語の中で、「自分は犬のはずなのに、どうして人間の姿で生きているのか」との思いを抱き、犬になりたかった主人公房恵は、念願かなって本当に犬になる。このことは村田に己の信念を貫く意志として肯定的に捉えられていく。

　犬ではないけれど、私にもそういう存在があった。けれどそれを、自分の人生の中心に据えて生きていいのだということを、私はこの作品に会うまで知らなかった。

「何より、彼女の自身への誠実さに打たれ」と主人公の思考に大きく共感した村田はまた、「二十代にこの本に出合えたことは、確実に自分を変えたと思う」とめざすところに向かっての方向性に大きな影響があったことを明示する。幸福の指標は、当事者自身で決めていくことが本質であり、第三者に判断を委ねたり、基準値に頼るべきではない。が、村田のいう「パッケージの幸せ」の「支配」は根強く、幸せの最適な解を日常から導き出すことは、時に困難な場合がある。そのような時に自分の信条に寄り添い、またリードしてくれる拠り所のような本の存在。それを村田は「大切な一冊」と表現する。

桐野夏生『抱く女』の舞台は一九七二年。学生運動やあさま山荘事件が勃発し、混沌としていた時代を、当時桐野と同じ二十歳の主人公直子が生きていく様が描かれる。この時期、村田はまだ生まれてはいない。村田と直子は全く異なる時代背景に生きる。双方が内包する問題点が重なり合ってくるとは、村田は最初想定していない。

けれどこの本を読み終えたとき、直子が感じる「痛み」に驚くほど共鳴している自分に気が付いた。この物語は、私にとっては過ぎ去った時代の話ではなかった。直子が物語の中で抱く違和感や痛みに共鳴して、私が身体の中に封印していた悲鳴が蘇る。忘れていた様々な記憶が、まるで今傷ついたばかりのように血を流し始める。

村田は揺れ動く時代を必死で生きる直子の青春を辿っていくうちに、過去、自身がリアルに感じてきた違和感は、女性であるがゆえの、そして直子たちとの時代を超越した、共通のテーゼであることに気づかされる。生物学的な性差（セックス）に付加された社会的・文化的性別、すなわちジェンダーに対しての固定観念は、その頃もそして現在も我々の前に深く横たわり、搾取や不平等の病巣は深い。

この作品を通して村田が一貫して訴えるのが、傷であり、痛みである。その痛みに対して村田は

「身が保たない」から痛みを封印して気が付かないふりをして（中略）今の私も、傷つくべきときに傷つかず、そのことに気が付くことすらできないようになっているのではないか

と、自分たちがその問題に、正面から立ち向かえていないのではないかとの核心にたどり着いた上で、

直子の痛みは私たちに引き継がれている。この痛みは大切なバトンなのだ。（中略）生きている時代は違えど私は直子と一緒に傷つくことができる人になりたいと思う。

と、自己意識を強く持つことの重要性を説く。

女性は男性の支配下にあり、優劣が示され、所有物であるとの認識は、日本においても過去からひきつづいて、現代にいたって継続する、深刻で根深い問題である。が、「この本が与えてくれた痛み」を軸にして「身体の中に封印された傷口から血を流すことで、（中略）生まれ変わるための準備」を調え、改めて現実を冷静に捉え直し、その意識の再構築を図る、ということは解決への扉に向かっての、今後重要な役割を果たしていくのではないか。「それは苦しくもあるが、気付かないふりをして、蓋をして生きていくよりずっとましだ」と村田は、本を通して獲得した重要な気づきを糧に、その意識を未来に向けていくのである。

生と性を問う男女四人の七歳から十八歳までの青春を描いた物語、山田詠美『学問』の解説において村田は、

私が初めて足の間で自らの性の感覚に触れたとき、私はまだ幼稚園にも通っていない小さな子供だった

と、村田自身の幼少期のセクシャリティについて、実に赤裸々に語るところから筆を進める。この物語の主人公仁美と「自分のプライベートな魔法を、初めて共有できた気がした」とする村田にとってのそのころの行為は、「プライベートな魔法」であり「いやらしさとは程遠いものだったし、悪いことや恥ずかしいことだとは夢にも思わなかった」ものであったと語り、この観点からも「仁美の学問を、仁美ほど健全に、誇り高く学んでいける人はそう多くないだろう」とその「学問」を尊いものと定義する。彼等は成長過程を通じて「欲望の愛弟子」として、自らの欲望に忠実に生き、「彼らの死を読み返すたび、私は誇らしい気持ちになる」と村田が語るように、そして「まっとうして死ぬ」のである。性に、そしてその「終わりを見据えた生」に対する、二つとない人生を、

いかに自立性をもって生きるかの指針が示されていく中で、

> 自分の価値観を手に入れて、その中で呼吸をし、生きていくこと。私は仁美よりだいぶ勉強が遅れているみたいだけれど、その過程こそが学問なのだと、開き直ろうと思う。

とそのプロセスも含めた価値を説く。

そして同じ解説文の中で山田詠美作品である『フリーク・ショウ』によって村田が高校生のとき、自らの性欲に忠実でよいこと、そして男性の視線からも解放されたということ、また『ベッドタイムアイズ』や『ぼくは勉強ができない』などにも影響をうけていたことが語られ、セクシャリティについての意識が、それらによって、変化・構築された過去にも触れていく。そこには、自らの価値観の確立のために貪欲なまでのアクションを起こす村田の姿が示される。本作品を、そして小説を「何度も何度も」「百回以上も」「食べた」とする、凄まじいまでの読書体験、それは漲る「食欲」が強く意識されるのである。本を信じて自分の血肉としていくこと、それは、自分の人生を真の意味で己のものとするという信念なのである。

私たちはこの『私が食べた本』という書評集を通じて、読書によって自分の感性を徹底的に研磨し、場合によっては新しい未知の感覚に出合い、価値観を確立していく読書の奥深さを痛感させられる。そして問題を認識し提起するという営為を行うこと、それもまた、私たちの心に適うことであり、重要なことなのだと学ばされる。

モラルハラスメントや＃ＭｅＴｏｏ運動など、特に女性を取り巻く不信の連鎖には未だ終わりが見えない。問題意識のための違和感は、はじめは僅かなことかもしれない。が、その僅かな違いを認識することこそが、全てのスタート地点となる、その思いを持ち、私たちは本を食べ続ける覚悟をもたなくてはならない。

（日本大学大学院生　総合社会情報研究科）

『生命式』――食、性、儀式を通して浮かび上がる「世界」の境界――

神村和美

『生命式』（河出書房新社、19・10）は、村田紗耶香の自選作品集であり、二〇〇九年から二〇一八年に発表された一二作品が収録されている。主に、食と性を中心とした人間の営みや文化秩序を通して、自明とされている「世界」への懐疑を炙り出したオムニバスである。劈頭を飾るのは、二〇一四年に発表された「殺人出産」（「群像」05）の先行作品ともいうべき表題作「生命式」（「新潮」13・1）で、三〇年かけて「変容」したとされる「世界」に生きる三六歳の「私」（池谷真保）の一人称語りで展開する。

人類の滅亡という「不安感」により「変容」した「世界」では、死者は従来の葬儀で弔われるのではなく、遺体の肉を食肉用として生者に提供し、肉を食した生者たちが新たな生命を生み出すために生殖行為に励む〈生命式〉という名の風習が国の補助によりスタンダードなものとなっている。「変容」以前、「食べたいもの」として「人間」を例に挙げたことから周囲の人間たちから糾弾された経験がある「私」は、簡単に反転する「世界」と己の価値観で他人を裁く人々に嫌悪を抱いている。しかし、友人の山本から、「私」が「世界」を絶対視しているからこそ苛立つのであり、「世界」はグラデーションのように「変容」し続けているものなのだと諭される。その後、急逝した山本のために、彼の生前の意向を汲んだ〈生命式〉の手伝いをし、彼の肉を食べた「私」は、山本の愛した「世界」を身体ごと受け入れていく。

続く「素敵な素材」では、死者は食されはしないものの、歯、骨、爪などが高級装飾品や家具として市場価値を持つ「世界」が描かれる。語り手のナナと周囲の友人たちは、素材としての人間に特別な価値を見出しているが、婚約相手のナオキは人間を素材にすることに生理的嫌悪感を示し、ナナを「残酷」という言葉で裁く。しかし、亡くなった彼の父の皮膚から作った結婚式用のベールを身に纏ったナナを見て、人間には人の皮膚が似合うと感じてしまったことから、彼の信じていた「世界」が崩壊する。「生命式」と「素敵な素材」に共通するものの一つは、死者の遺言に忠実に、遺体を食肉用や装飾品へと加工する母や妻といった遺族の存在であろう。生者が死者を有効活用することこそ真の死者への弔いだとする新たなモラルを受け入れ難かった者たちは、遺族の手によって演出された儀式〈生命式〉や〈結婚式〉を媒介に、現世界への愛を示唆する死者の遺した言葉に縛られ、彼らの世界観を受け入れざるをえなくなる。死と儀式が生み出す非日常が「世界」を揺さぶる様相が描かれているといえよう。なお、第三篇「素晴らしい食卓」も、結婚前に催された家族の食事会という一種の儀式を背景に、「食」を通して浮き彫りになる人々の「世界」の臨界が描き出される。ただし語り手の「私」は、「生命式」の語り手とは異なり、自身の哲学と分析力を持ち、他者の世界観に侵蝕されることはない。彼女は食行動を「その食べ物の世界に洗脳されること」と規定し、「次世代の食事」という謳い文句に踊らされ高価な食品を購入し続ける夫を「世界を信じて世界に媚びている」人間だと分析し、「世界を信じない誠実さ」を主張するのである。人肉食に対し曖昧なスタンスを取りつつも、最終的には〈生命式〉を賛美する「世界」を構成するピースとなってゆく「私」を描いた「生命式」へのアンチテーゼといった側面を読むことも可能であろう。

　本作品集の中盤には、少女の性の目覚めをモチーフにした作品が配置されるが、特に第八篇「魔法のからだ」は、「生命式」「素敵な素材」に描かれた世界を逆照射する作品であるといえる。中学二年生の瑠璃は、「自分の身体や欲望を、人の言葉や価値観を借りて表現することもな」く、「自分の世界を守るためのおまじない」を持っている学友の詩穂に憧れている。この「おまじない」に救われた瑠璃は、「私たちはまだ危うくて、だから、強い言葉とか、世界を支配している大人の作った価値観に、簡単に吹き飛ばされてしまう。」「私たちは呪文を唱えて、自分の身体を自分のものにしてあげないといけないんだ。」という自身の言葉を詩穂に伝える。

　このような、自身の言葉で己の「世界」と身体、性を守ろうとする少女たちのあり方は「生命式」の世界を相対化してみせる。「生命式」では、「人類はほんとに滅びるんじゃないか」という漠然とした「不安感」の中、「死から生を生む」というプロパガンダに支配された「大衆」が、国にバックアップされた〈生命式〉を受け入れ「変容」する。彼らは、「セックス」から「受精」へといった言葉の変換に従い、「「受精」という妊娠を目的とした交尾」を「神聖」なものとして行う。そこには個々人の身体から滲む純粋な欲望や言葉はなく、人類滅亡を避けるための「正しい」行為という外部から注入された観念だけが浮遊している。そして、「正しすぎる正常の中」で、偶然出会ったゲイの男性の精液を「山本の命」に見立てながら身体に取り込み、生命体というよりも大きな宇宙の一粒子という自意識を得た〈私〉の壮大な生命賛歌で作品は閉じられるのである。

　ところで、「生命式」における「世界の正常の中へ溶けてい」く「私」による迷いのないラストシーンの昂揚感は、テクスト中盤まで繰り返されていた「かもしれない。」「気がする。」という〈私〉の語りの曖昧さと、語りに顕れた知の欠如と思考停止との呼応関係を感じさせる。それは、読者に自らの知識や常識と照らし合わせながらテクストと対峙することを促す仕掛けともいえよう。例えば〈私〉は、単純に人間の生殖を目的とした〈生命式〉に伴う性感染症のリスクや、〈生命式〉により産み落とされた子どもたちが〈センター〉という施設で養育されることに対しては深く考えることはない。山本だけは「センターっ子が増えたら、どうなるのかなあ」と呟くが、「そんなことは誰にもわからないのだ」という「私」の語りに吸い込まれてしまう。「私」によると、「私たちが漠然と出した結論」とは「やってみなければどうなるかわからない」というものである。また、「私」は、死者を食す風習を有していた部族の存在に触れてはいるが、その風習ゆえに発生したクールー病という感染性の脳疾患については知らないようである。このテクストが、「まだ若いのに」「脳梗塞だったみたい」と、脳疾患による死因を噂される男性の〈生命式〉から幕が上がるということは非常に示唆的である。つまり、このテクストでは、「人類」によって蓄積されてきた科学的知の存在は無に等しく、「本能」＝神聖＝「正常」という物語と国からの補助金に釣られ、カニバリズムとハイリスクな性行為を賛美する「世界」を信じる「大衆」の姿が描き出されているといえる。「正しさ」を「信じ」、「正常」とされるものに寄り添わずにはいられない人間の「本能」を表現しているという点で、ダークファンタジーの枠を超えたリアリズムが感じられよう。

　本作品集の終盤には、無生物と人間との愛を描いた「かぜのこいびと」、異世界の住人ともいうべき作中人物が、自身の世界に他者を取り込もうと働きかける「パズル」「街を食べる」が収録されている。そして、最後を飾る「孵化」は、環境が変わるたびに周囲の期待に応えようと次々と架空の自己を演じてきた「私」が、婚約者との〈結婚式〉という儀式を前に、さらに新たな「世界」を創らざるをえなくなるという物語である。

『生命式』は、食、性、儀式を通して浮かび上がる「世界」の境界に立たざるをえなくなった作中人物たちが、自身の痛みや〈快／不快〉から目を逸らさず、他者と融合しようとする様を通して「生命」すなわち「生きる」ことそのものを問うているといえる。読む者を自明の知識や常識から引き剥がし、「世界」の境界へと導く本作品集は、「世界」の手触りが急速に失われつつある現代において、「世界」と自身の生との避けがたい齟齬を生々しく突き付けてくる衝撃作であり続けるのではないだろうか。

（城西大学別科准教授）

「生命式」——回収されるクィアな欲望——

榊　裕希

村田沙耶香は「普通」に対して挑む作家である。だが、その「普通」とは一体何なのだろう。

河出文庫『生命式』（22・5、単行本は河出書房新社、19・10）の帯には「著者自身がセレクトした文学史上、最も危険な短編集！」と付され、「夫も食べてもらえると喜ぶと思うんで」「正常は発狂の一種」「死んだ人間を食べる、新しい〝葬式〟誕生!?」と刺激的な調子の煽り文が並んでいる。この文章は表題作である「生命式」を表し、あるいは作中から抜き出されたものだ。以下「生命式」の引用は河出文庫による。

作中、「生命式」の人々は人口減少による不安を背景に、「『増える』ことをだんだんと正義にし」（13頁）て新しい葬式を編み出した。生命式と呼ばれる葬式は「死んだ人間を食べながら、男女が受精相手を探し、相手を見つけたら二人で式から退場してどこかで受精を行う」（14頁）ものであり、性交は「『受精』という妊娠を目的とした交尾」（14頁）と化し、コミュニケーションや快楽の手段という意味での「セックス」は失われている。

生命式は通常の葬式とは異なり、「国から補助金が出るのでかなり安くあがる」（14頁）と国家から推奨される行事であるようだ。語り手の「私」が子どもだったころはまだ読者と変わらぬ「昔ながらのお通夜やお葬式」（14頁）が行われていたが、人口の減少が進み、葬るための死のセレモニーではなく死から生を産む生命式へ三〇年かけてシフトしていった。過去の「普通」から、国の主導する新しい「普通」へ。

「私」の覚える「生命式」への反感も、子どものころ、人肉が食べたいという冗談を言ったところ周囲から強く糾弾されたことに端を発する。人肉食を行う「生命式」がスタンダードとなった現在では、かつて「私」を非難した正しさを失って軽やかに新しい「普通」になじんでいる社会に対して、「私」は反感を抱いているのであり、人肉食に抵抗があるわけではない。「あのとき私を裁いた倫理なんてどこにもなかったんじゃないか、と憤っているというだけ」（14頁）とあるように、「私」も他の人々と同様に食人の倫理的な問題については特に疑義を呈していない。

「私」と幼いころに人肉を食べて食あたりを起こしたために人肉が苦手な同僚の山本とは、人肉が苦手なもの同士の緩やかな連帯で結ばれている。「私」は山本に対して「ついつい他の人には言わないことも言ってしまう」（15頁）と心を預けるようなそぶりを見せながら、「少しぬいぐるみの熊のようなところがある」（29頁）という表現でセクシュアルな関係とは線を引いている。

「生命式」の普及に伴って、仕事をしながら子供を産んだり、父親が誰かわからない子どもを預けたりなど出産に関わる医療・養育施設である「センター」が増えていることが「私」から明かされる。これによって従来の産ませた父と産んだ母とその子供、という家族制度も徐々に崩されているが、こちらの反発は物語中でも根強い。山本の母は、「生命式に抵抗はないが家族システムの崩壊には反対」（31頁）だという。

かつて人々は古くから性交と出産と死のメカニズムについて、神聖なものとしてみたり、あるいはケガレとして位置付けてみたり、多様な意味を見出してきた。家族というものについても同様に、大きな意味を見出されがちだ。村田文学は、セックスや家族からそのような伝統的文脈をはぎ取り、生物としての〈肉〉の営みとして捉え直そうと試みている。

ここで現実の出産にまつわる制度に目を向ける。現実の日本という国もまた、婚姻という生殖を推進する制度を設けている。二〇二一年一〇月、東京の同性婚訴訟で国は婚姻制度の目的を「一人の男性と一人の女性が子を産み育てながら共同生活を送るという関係に対して特に法的保護を与えること」（平成三十一年（ワ）第三四六五号国家請求事件、被告第五準備書面二四頁）として、同性婚は法的根拠がないとして退けている。生命式は国家から定められた生殖の制度という点で婚姻と共通しているものの、婚姻からロマンチックラブをはぎ取り、生殖にのみ特化したセレモニーといえよう。

ある時、出産した新生児を「センター」に出して出勤した女性に、「私」は「ほっとする」（24頁）と思っている。子供を作っていない「私」はほのかな罪悪感を抱いているようで、生殖が美徳とされる国家の価値観を、「私」も「人類の一員として」（24頁）内面化していることは明らかだ。

男と女が交わり、子どもを産み、生産を繋げていく。この「普通」からマイノリティとして疎外されている存在が同性愛者である。物語の中盤、「私」と親しかった同僚の山本が交通事故で死んでしまう。彼の「生命式」を手伝った「私」はその後「ピクニックに行こうと思いつい」（45頁）て、彼の角煮を具にしたおにぎりとカシューナッツ炒めを持って海に向かう。訪れた鎌倉の夜の海で心配して声をかけてきた男性に、「私」は生命式の帰りなのだと明かして一緒におにぎりを食べないかと誘う。男性は「交尾」に誘われたのだと思い「僕、ゲイなんです」（47頁）とカミングアウトして同席を断る。異性と性交ができなければ生命式の営みに参加はできない。「私」は生命式のためではないと説明をし、料理された山本を男性と二人で食べる。生命式が受け入れられる前のことは覚えているか、という「私」の問いかけから「発狂」と「正気」をめぐる会話が行われ、男性は瓶に詰めた自分の精液を「私」に提供する。男性と別れた「私」は渡された精液を指で膣に差し込み、「こんなふうに精液のやりとりをする世界はなんて美しいのだろう」（54頁）と思いながら海にたたずんで物語は終わる。

かつて同性愛は病理として扱われ、いわば男の言う「発狂」に追いやられていたが、人権運動によって「正気」に位置付けられた歴史がある。男は「人類の一員として」の義務である生殖に携われないことを背負い続けてきたであろうことは想像に難くなく、瓶を介して「生命式」に参加できたとき、彼もまた「ほっとする」気持ちになったのではないか。同性を愛するというクィアな欲望について、「生命式」という作品は直接的には言及しないが、生殖という異性愛のシステムに同性愛者が自ら飲み込まれていく瞬間を切り取っている。

もちろん同性愛への偏見がない、ないしは現実よりは偏見が弱まっているために、男は葛藤なくきわめてラフにカミングアウトをした上で「私」へ精液を提供できるという、異性愛や同性愛の枠組みが瓦解した世界と読み取ることも不可能ではない。だが、社会のシステムと同性愛を対置したとき、同性愛は従来の家族のシステムに異議申し立てを行う存在でもあり、本当に異性愛と同性愛の枠組みが崩れた社会であるならば、家族システムの崩壊に山本の母が抵抗を持つこともないはずだ。

「生殖」や「家族」に価値を置いたとき、否応なくクィアな欲望は疎外される。これらに担わせてきた神秘性や伝統をはぎ取り、次世代の生産を目的とした〈肉〉としての行為に読み替えたとしても、そこにはまた新しい規範が生まれ、クィアな欲望を異質なものとして回収する。「生命式」は「普通」を拡張させ変容させることで、「普通」からどうしようもなくこぼれ落ちるものを明らかにする作品である。

（日本大学大学院生　総合社会情報研究科）

「生命式」
——正常と狂気の越境——

櫻庭太一

「生命式」は「新潮」二〇一三年十月号に発表された短編で、二〇一九年十月に河出書房新社より刊行された自選短編集の表題作である。〈〝正常〟への懐疑〉は村田沙耶香の作品において頻繁に取り上げられる題材だが、本作もそのセオリーを踏襲しながら、やや変わった読後感をもたらすものになっている。

　舞台は亡くなった人物の肉を食べながらその思い出を語りつつ、参列する男女がその場で相手を探し受精・繁殖（作中の言葉では「交尾」）を行う儀式・「生命式」が当たり前の習慣になっている社会だ。すなわち食人行為と性的乱倫が公認されており、さらに交尾の結果生まれた子どもは希望すれば「センター」と呼ばれる施設が養育を代行してくれるなど家族的な紐帯も不要となりつつある、一見ディストピア的にも見える空間として描かれている。しかし、主人公の女性・真保が抱いているこの社会に対する不安と違和感は、これら表出している状況のみに根差しているわけではない。彼女は幼いときに「軽い冗談」として人間の肉を食べてみたいと言ったために級友や幼稚園の先生から「人肉は食べてはいけないものだ」という〝正しさ〟によって強く糾弾された記憶を今も忘れることができずにいる。わずか三〇年ほどで、あれほど強固であったはずの倫理や正しさが変化し、自分を断罪した価値観が都合よく改竄され忘れさられていることへの不信。そして「人肉って、特別な感じがする」と無邪気に、それを食べることを「人間の本能」だと得意げに語る人々への「本能なんてこの世にはないんだ。倫理だってない」という憤りが、彼女の世界に対する眼差しの根本にある。真保のこの不信と違和感は、〝常識〟が不変不壊どころか極めて移ろいやすいものであるにも関わらず、過去を顧みずにその〝常識〟に寄り添い、時に他者を攻撃する武器として使う〝不誠実な世の中〟への不信であり、そうではない世界の在り方を希求する真摯な眼差しとも言い換えられよう。

この真保に大きな視点の転換をもたらすのが、同僚の山本慶介との対話である。村田作品では、本作の真保と同様に、世界に対する違和感を抱える主人公の並走者、あるいは対比的存在としての男性が描かれることが多い。例えば『コンビニ人間』では、バイト先の同僚男性・白羽が主人公に「自分を苦しめているのと同じ価値観の理屈で私に文句を垂れ流す白羽さんは支離滅裂だ」と喝破されるように、世界の歪さやグロテスクさを感じつつも、その歪さの本質に無自覚な形でしか自己や他者を認識できない存在として描写されている。対して、本作の山本は主人公にとって気の置けない友人であると同時に、真保の違和感に付き合ってくれる精神的パートナーとしての役回りを担う。山本は真保に、〝不誠実さ〟にとりまかれる世界の生き方を飄々と語る。

「（略）世界ってだな。常識とか、本能とか、倫理とか、確固たるものみたいにみんな言うけどさ。実際には変容していくもんだと思うよ。（略）」（23頁、引用は単行本による。以下同）

「（略）世界はさ、鮮やかな蜃気楼なんだよ。一時の幻。（略）」（24頁）

山本は、なら真実の世界はどこにあるのか、と問う真保に対して、「だから、蜃気楼こそが真実なんだよ。」と答える。一見現実逃避的な詭弁に過ぎないように思える山本のこの視点こそ、次々と移ろう常識と〝正しさの不在〟の中で混乱していた真保の心に安らぎを与えるものだった。

この山本の言葉は、「幻」であるから世界が不誠実であっても仕方がない、と語っているわけではない。また

〈適当でいいから〝正しさ〟に合わせて生きていけ〉と説いているのでもない。むしろ世界が幻の、蜃気楼の集合体であるなら、それはあらゆる〈自分のありかた〉が、すなわち希望の存在が許容されるということであり、真保もまた、真保自身の〝ありかた〟を生きることが肯定されると語っているのだ。これにより〝常識〟に対する不信と、〝正しさの不在〟に対する自身のこだわりが解体されたことで、真保は改めてこの世界の「生命式」を捉え直すことになる。それが明確になるのが山本の生命式の場面だ。作中の山本は、自分自身の生命式を楽しく、また自身の肉を美味しく食べてもらいたい、という彼独自の〝希望〟を持った人物として描かれ、真保はその想いを叶えるべく、山本の家族たちと料理に取り掛かる。塩角煮、みぞれ鍋、カシューナッツ炒め…。真保と家族によって調理される山本の肉、そしてそれを美味しそうに食べる人々によって彼の〝希望〟は実現される。

> じゅわっと、中から肉汁がしみ出す。団子にかけた柚子の果汁の酸味と、大根おろしの食感と共に、牛や豚より少し濃い、けれど猪ほど臭みのない、まろやかで濃い肉の味のする団子がほぐれていく。（38頁）
>
> 少しだけ筋のある、歯ごたえのある肉の部分と、ぷるりとした脂肪の部分が噛めば噛むほど深い味を醸し出す。塗りつけたからしがまた、旨味を引き立てて、口の中で肉と肉汁が絡み合う。（39頁）

豚や鶏等の食肉を料理し食べる時と同様の表現で描かれることで、この「山本の肉」による生命式の場面は細部にわたるリアリティを持ちつつ、忌まわしさや背徳感ではなく、むしろ美味しそうな雰囲気が伝わる、不思議な暖かさと安心感とをもった場面になっている。この不思議な感覚が成立するのは、この場面が本質的には食人のグロテスクさではなく、ある人間の〝ありかた〟が、他者に受け入れられ、世界の一部として機能する瞬間であるからだ。ここで真保が「私は初めて生命式を素晴らしいと思った」と感じるのも、〝山本のありかた〟が受け入れられ、それによって他者と他者とがつながり合う瞬間に立ち会うことができたからに他ならない。ここに至って、真保は「生命式」を行うこの世界を自分の中に受け入れることができたのだ。だがそれは、彼女が、社会的な要請によって生まれた繁殖システムである「生命式」の中にただ単に取り込まれたことを意味しない。そのことが示唆されるのは、終盤、鎌倉の海岸での真保とゲイの青年との出会いの場面である。彼は、真保の「何が正しいのか」がわからない世界を信じて山本の肉を食べる私たちは「おかしい」と思うか、という問いにこう答える。

　「いえ、思いません。だって、正常は発狂の一種でしょう？　この世で唯一の、許される発狂を正常と呼ぶんだって、僕は思います」（44～45頁）

〈繁殖すること〉が至上命題となっている作中の社会において、このゲイの青年は〝正常〟と〝狂気〟との移ろいやすさを肌で感じ、また一時の〝正常〟に根差した社会の残酷さ――真保がかつて〝人肉を食べたい〟と言った時のように――に誰よりも共感し得る存在であろう。だからこそ、彼は〝正常〟と〝狂気〟の境界で逡巡する真保を受け入れ、また自らの精子を提供するという形で彼女の「蜃気楼」への参加、すなわち彼女の〝ありかた〟と繋がることを申し出たのではあるまいか。真保が青年の精子を胎内に取り入れ、山本との、そして世界との一体化を実感する最後の場面は、彼女が〝正常〟と〝狂気〟の越境を果たし、性別や時間を超えて、異なる狂気に生きる人同士が繋がることのできる、新たな「生命式」の始まりの場面でもある。

　短編ということもあり、「生命式」の背景や設定、真保が抱える疑問とその回答が書き尽くされたとは言えない点もある。しかし、本作はカニバリズムや近親相姦などの刺激的な題材がクローズアップされがちな村田沙耶香の作品が、実は〈現実とは、正しさとの正体とは何か〉という問いへの真摯な眼差しと「他者と繋がることの可能性」を常に新鮮な角度から切り出していく強靭さを持っていることを改めて示すものと言えよう。

（司書・東洋英和女学院大学ほか非常勤講師）

「変半身《かわりみ》」

——不真面目な人間たちと真面目な家畜——

泉谷　瞬

「だって、私たちって、家畜じゃない」——防波堤完成の記念式典に飾るための壁画を制作するなかで、主要登場人物の一人・浜尾花蓮はこう断言する。一見、挑発的な台詞のようではあるが、しかしこの認識は、現代社会に生きる者であれば一度は感じるものだろう。

私たち〈人間〉は、近代的な制度と技術の恩恵を被ることで、自由な主体としての生き方を保障されている。しかし、自由が認められているにもかかわらず、立派な社会人になるべく幼い頃より勉強に励み、世の中と他人のために貢献する仕事に就き、素晴らしい伴侶とめぐり合い、自らが生きた証を二人の間にできた子供に託すという〈人間〉で、この世は埋め尽くされている。一体どこが自由なのだろうか。そうした生き方が実現できているかどうかは、あまり重要でない。その生き方が、皆にとって望ましいものとして中心に置かれていること、そして、誰しもがその中心を横目で窺いながら、取り除こうとしないことに問題が含まれているのである。

『変半身』（筑摩書房、19・11）はひとまず、このような常識＝〈家畜〉であることの自覚から始まる。繰り返すように、この花蓮の台詞自体は奇異なものではなく、誰もがうすうす気付いていることなのだ。本作の表現を借りれば、〈真実〉である。だからこの提示をもって、作品の価値や批評性を評価するのはまだ早い。重要であるのは、物語がこの〈真実〉をどのように扱うことで、読者に向けて異なる可能性を投げ込んでいるのかである。

本作は三部構成であり、第Ⅰ部が千久世島の内部で進行する事件から始まり、第Ⅱ部において島を離れた外部からの視線を通過した上で、再び島の内部へもぐり込むという展開へつながっていく。そして第Ⅲ部で、島の〈内部／外部〉の境界線が崩れ去るような〈真実〉が披露されることで終幕を迎える。表向きの構造としてはシンプルだが、第Ⅰ部から第Ⅲ部にかけて、島の内部で共有される〈真実〉が次々と変転し、それに伴って、島の外部で共有されている物の見方も裏返っていくような仕掛けが施されている。

たとえば第Ⅱ部で島を出た後の陸が、ある男性＝〈夫〉と結婚した事実は、すぐに「勝ち組男性の妻」を演じ続けるという一種の詐欺行為であることが明かされる。プロデューサー役のタカヤによって演出されるその勝ち組生活は、確かに異様なものとして読者には感じられるかもしれない。だが、数多くの広告やイメージが日常的に多種多様な媒体で流通し、一定のフォーマットとして成立している〈結婚〉のあり方に少しでも関わっていない者など、どれだけいるのだろうか。これはブライダル産業の戦略に注意せよといった話ではなく、生物としての〈人間〉が番《つが》う様子を〈結婚〉という枠組みで規定する要素は、近代社会のあらゆる領域にすでに埋め込まれているという指摘だ。そうであるならば、陸と〈夫〉が演じる結婚生活とは、細部が異なるだけで、基本の姿としてはその他大勢の〈結婚〉と大きな違いはないことになる。演出された生活こそが、私たちにとって自然なのだ。千久世島の〈伝統〉がわずか二〇年の時を経て、露骨に変わっていく様相も決して滑稽なものではなく、島の内部も外部も規模の違いはあれど人々の営みが相似形であることを、本作の構造は暴き出している。第Ⅰ部で描かれた島の習慣や暴力的な儀式に野蛮な性質を感じ取った読者は、ここで自らもまたその野蛮な島の住人であったことを知るというわけだ。

第Ⅲ部の結末で花蓮は、これまでの〈人間〉社会が作り上げてきた科学的な知識や認識の態度をすべて否定し、この世界が「大きな水たまりの中に島がたくさんある」と説明する。それに説得力を持たせるかのように、陸が「テレビもネットも映らなく」なることを確認することで、物語内でこの〈真実〉は確定事項のように記述される。つまり花蓮の言うとおり、登場人物たちは元々、〈外〉からやってきた生命体＝〈ポーポー〉の末裔であったというのが落とし所になる。

だが、陸たち夫婦の結婚生活を演出していたタカヤが、花蓮のことを指して〈プロデューサー能力〉と〈カリスマ性〉があることを見抜いていた点には注意しておこう。もしもこの才能を強調するならば、秘祭「ニンゲン」の終焉という一大事は、花蓮という優秀な〈プロデューサー〉によって仕掛けられた〈真実〉であった可能性も残る。電波を遮断し、高城が産んだ卵から生物のようなものを出現させたのも、周到に用意されたトリックによるものである。花蓮の発言にほとんどの住人が惑わされて〈真実〉を信じることになるのも、同調圧力や閉鎖的な環境が強く作用したという、もっともらしい理由付けができるかもしれない。すなわち本作は、秘祭「ニンゲン」の終焉という出来事を、最終的な審級の段階に置き直すべきか否か＝最後の〈真実〉と確定させるか否かを、曖昧なままにして閉じている。むしろ、花蓮が言うような〈真実〉が絶対に疑いようのないものであるならば、それはそれで別の「恐ろしい洗脳」であり〈陰謀〉としてすぐに陳腐化してしまうため、作品の主題を一貫させるには他に方法がないとも言えるだろう。

第Ⅰ部・第Ⅱ部において千久世島の内部と外部を比較させながら、双方に共通する〈人間〉の姿勢——そういうことになっているから、そういうこととしてとりあえず生きていこう、といった姿勢を本作は戯画的に批判してきた。そのような姿勢を徹底的に破壊するという第Ⅲ部が採用した方法は、確かに爽快ではある。前述したように、誰しもが近代社会という〈プロデューサー〉が作り上げた〈真実〉の胡散臭さには気付いているのだ。しかもこの〈真実〉は、〈真実〉を自称しているくせに、反証可能性などという手続きによって、同じ口でその〈真実〉性を批判的に思考せよと命令してくる。ならばその批判的思考を最大限に発揮して、お望み通り〈人間〉を終わらせてやろう……（無論、こんな発想は〈近代〉が理想とする批判的思考からはかけ離れたものである）。

爽快な結論に向かう前に、本稿ではもう一つの可能性を示唆しておこう。花蓮の仕掛けから始まる怒涛の流れが印象強いせいで忘れられがちな存在として、「遺伝子退行手術」を受けたことで〈ポーポー〉の卵を産んだ高城がいる。高城は、かつての島内での生活から続いて、〈ポーポー〉を素朴に信じているように描かれる。篠塚の口車に乗せられた末に危険な出産行為に挑む姿は、読者からも、そして作中の登場人物たちからも愚かな振る舞いとして見下されるものに違いない。

しかし、彼は実際に卵を産んでいるのだ。仮に島の住人たちが言うように、その卵が〈プラスチック〉製の偽物であったとしても、〈真実〉が崩壊している以上、それを偽物と判定することはもはや不可能なはずである。すべてが作りごとのお芝居の中で、ある役者が別の役者を本気で殴りつけた場合、そこに生じる怪我が作りごとには決してならないように、高城はこの物語の中で確実に行動している。それは、真面目に〈家畜〉としての自身を生きているということだ。〈家畜〉であることを自覚しながらも、それとは異なる新たな〈真実〉に期待するような不真面目な〈人間〉だらけのこの世界で、高城はひたすら真面目に〈家畜〉であろうとしている。その意味で、〈家畜〉にすらなり切れていない凡庸な〈人間〉たちから、彼は突出している。

結果的にまるで意味をなさなかったとしても、最も困難な道を進む者が行く末に何をつかみ取るのか、その〈変半身《かわりみ》〉を見定める読者も少しは必要だろう。常識の爽快な破壊を選ぶのは、それからでも遅くはない。

（近畿大学准教授）

「変半身 かわりみ」をめぐって——〈ニンゲン〉の終わり——スペッキオ・アンナ

村田沙耶香の作品を読むたび、彼女が恐ろしくて突拍子もない話をもうこれ以上描けないだろうと思うのだが、そう思った矢先、村田はより驚愕かつ衝撃的な世界観（あるいは人生観）をもたらす新作を発表する。「変半身」には、村田沙耶香のこれまでの作品との共通点がいくつもある。

「変半身」は村田沙耶香と劇作家・演出家松井周がコラボレーションして生んだ「Inseparable　変半身　かわりみ」というプロジェクトの結果だが、「演劇版と共有するのは千久世島という場といくつかの設定だけで、ストーリーはまるで異なっている」（小澤英実「解説」『変半身』ちくま文庫、21・11）。

離島・千久世島出身の陸、花蓮、高城くん、三人の同級生の話が陸の視点で語られている。千久世島には昔、「ポーポー様」という神様と、ポピ原人という類族がいたという伝説／歴史があり、それを祝うために年に一度祭りが行われる。その祭りのメインイベントは一四歳になった者、しかも島民に選ばれないと参加できない「モドリ」という秘祭である。初めて三人は「モドリ」に参加するが、命にかかわる危ない目に遭い（高城くんは「生贄」の役割を担わされ、リンチされそうになり）、島から逃げる。そして、大人になった三人は故郷に戻る。

陸と陸の夫の人生を「流行」によって企画していくタカヤというプロデューサーの指導の通り故郷に戻るとき、まるで千久世島自体が大きな劇場であったかのように、彼女らの思春期とはまったく異なる環境が開かれる。島民は榊プロデューサーに与えられた役割を演じ、島の歴史・伝説・方言は入れ替えられ、書き直され、陸たちは今まで「真実」だと信じていたことがすべて「嘘」だったと実感し、何も知らされない。「モドリ」の際、その嘘は明らかになる。(島民の誰かが「陰謀だ！」と叫ぶ)最後に、おそらく〈人間〉というのも、ただ演じざるを得なかった役割に過ぎず、自分たちは人間ではなく、別の生きものだと自覚するとともに、〈ニンゲン〉をやめて〈ポーポー〉に変態し、本来の姿にモドる。

小澤が指摘するように、人々が役割を演じることという点においては『コンビニ人間』の主人公を連想させるが、本作では「島の大人と子どもたち、島民と外から来る観光客たち、あるいはプロデューサーと消費者というように、騙す側(演者)と騙される側(観客)の関係が生まれる」(「解説」『変半身』)。

私は本作を読んで、『コンビニ人間』と、一九九八年に公開された『トゥルーマン・ショー』(The Truman Show)というアメリカ映画も共に想起した。映画では千久世島と同じく離島・シーヘブンに住むトゥルーマンという主人公が、自分の人生があまりにも完璧であるにもかかわらず、腑に落ちないエピソードが起こり始めると「真実」を探そうとする。そして自分が「嘘」を生きているということに気づく。トゥルーマンの周りにいる皆が実は役者であり、トゥルーマンだけが何も知らずにいた。クリストフというプロデューサーが作ったリアリティー番組の主人公であることを知った途端、トゥルーマンは自分が生きるフィクションから脱走しようと考える。そして、その時まで「真実」だと信じていた「嘘」だった生活から逃亡する直前、まるでデミウルゴスであるかのように、自分の人生を創造したプロデューサーであるクリストフに立ちはだかって彼を拒否する。トゥルーマンは新しい「真実」を知ると、クリストフは「神様」のような存在から「生贄」に変化する。同じように、「変半身」では千久世島の歴史・伝説・方言を作り直した榊プロデューサーは、島民に自分の詐欺がばれてしまうとき、拒否されるどころか、殴られたりリンチされたりする。

「みんな、自分に都合のいい嘘を信じるんだ。人間ってそういう仕組みなのかな」

「そうかもね。新しい真実を信じるとき、人間の頭はクラッシュする。その瞬間だけが、本当に「無」になれるときなのよ。次の瞬間には、新しい信仰が始まってしまうんだから」

「花蓮……何かするつもりなの？」

「なにも。起きることを見守るだけよ。でもほら、「真実」が塗り替えられるとき、生贄が出る。あの人、そうなるわよ」

花蓮の言った通り、新しい「真実」の生贄は、榊プロデューサだった。（『変半身』筑摩書房、19・11、98・99頁、引用は単行本による）

デミウルゴスのように自分たちの生活、あるいは人生に役割を与えたプロデューサーへの反抗は私たち人間が生きている社会への反抗のメタファーだと思われる。だが、榊プロデューサーは詐欺師であるとわかった後、陸たちはもう一つの「嘘」と新しい「真実」を知る。ここで、村田沙耶香ならではのプロットツイストが読者を驚かす。島民が騒いでいる中、陸の夫とタカヤが「「ニンゲン」が終わった！」と叫ぶ。そして、花蓮は自分たちが〈人間〉ではなく、〈ニンゲン〉を演じてきた別の生き物だと告げる。

「私たちは本当は、ポーポーという生き物なんですよ。わかってるのはそれだけ。この皮膚の中がどうなっているのか、大きな水たまりの中に島がたくさんある、チキュウという空間の向こうになにがあるのか、誰も知らない。ただ一つわかるのは、この世のすべての生き物はポーポーだってこと。形が違うだけで、全てポーポーなんですよ。私たち、元の姿にやっと戻れるんですよ」

「モドルって、なにに戻ればいいがちゃ……」

「全部忘れるのよ。だって全部、架空の生き物「ニンゲン」の話だったんだから。秘祭の間に教え込まれた嘘はすべて忘れるの。それだけよ」(『変半身』104・105頁)

そして、全て〈人間教〉の洗脳を受けて〈ニンゲン〉を演じた〈ポーポー〉であるという理解しがたい新しい真実を知った陸は、「遺伝子退行手術」を受けた高城くんが産んだ卵の一つが割れて、上半身はイルカ、下半身がヒトに似た生き物が出てくるのを目撃する。このエピソードにはクリステヴァ・ジュリアのアブジェクシオンや人と信仰との関係などをはじめ、いろいろな解釈が可能なのだが、私が取り上げたいのはいわゆるポスト・ヒューマンのレンズを通じての解釈である。

「変半身」の始めに、陸、花蓮、高城くんが会話していると、花蓮は自分たちは島の大人の目からしたら家畜のようであると言う。そして、彼女の言う通りだとわかるのは一四歳になって「モドリ」に参加するときである。なぜならば、「モドリ」は本当は大人の男性が村の中学生の女の子に卑猥なことをさせ、みんなでその女の子を〝抱く〟ために考案した嘘の祭りであったからである。さらに、大人の男たちは女の子の輪姦にとどまらず、男の子への暴力も追加した。「狩り」という儀式では、「獲物」の役割を与えられた高城くんは殴られて、肛門にたいまつを突き刺される。苦しんでいる自分の友達を見ている陸は「高城くんは、人間であることをやめて物体になったように見える」と語る。動物の権利とフェミニズムを研究するアダムズ・キャロルは(『肉食という性の政治学』(The Sexual Politics of Meat)、鶴田静訳、新宿書房、94・5)動物と女性は家父長制による暴力の被害者だと述べるが、女性が動物、男性が人間、あるいは女性と動物が物体、男性が主体といった不均衡な関係性の構造は人間中心主義の立場にほかならない。人間中心主義とは、人間の価値観と経験はこの世界で最も重要であり、人間と非人間の区別を決めるのは言葉の有無であり、この世のすべては人間のためだという前提で成立する哲学である。それに対して、ポスト・ヒューマンの哲学者であるブライドッティ・ロージはより平等的な関係性をもたらす論理を提案する。「ゾーエー中心主義」（『ポストヒューマン 新しい人文学に向け』（The Posthuman）』、大貫菜穂ほか共訳、フィルムアート社、19・2）というブライドッティの思考によると、人間が中心ではなく、人間、動物、自然が全て平等であり、中心にあるのは生命自体である。人間中心主義的視点から離れたこういった論理によると、すべての関係が平等であるため、先ほど述べた女性が動物、男性が人間、あるいは女性と動物が物体、男性が主体といった不均衡な関係性はなくなり、すべての命は同じ重要さをもたらす。

「変半身」の最初の「モドリ」の関係表象はまさにそういった人間中心主義の表象なのだが、最後に、大人になった陸たちが改めて参加する「モドリ」はまったく異なる図を表す。「「ニンゲン」が終わった」と叫ぶタカヤに続き、「全部、架空の生き物「ニンゲン」の話だった」と明らかにする花蓮の言葉は、実は我々が知っている歴史、あるいは人間中心主義の終わりでなければ何なのだろうか。最初の「モドリ」では「獲物」になってしまった高城くんは、最後の「モドリ」では物体から主体に変化し、新しい生き物が出てくる卵を産む。また、その生き物は上半身はイルカ、下半身はヒトだということも、〈ニンゲン〉、すなわち「人間中心主義」の終わりを示すと言える。人間中心主義が成り立っていた社会では人間より下等生き物が「生贄」であったのに対して、「ニンゲン」、すなわち人間中心主義が終わる瞬間、新しい真実の「生贄」は〈人間〉そのものである。この時点では、大人／子供、女性／男性、人間／非人間の区別がなくなり、みんなポーポーになる。そして、ポーポーとして、人間の特徴であった「言葉」もなくなり、「ポーポーポーポーポー」としか言わない鳴き声を出す。

加えて、高城くんが産んだ生き物は、上半身がイルカという点も非常に面白い。村田沙耶香と同じくスペキュラティブ・フィクションを書いたことがある川上弘美も「形見」（『大きな鳥にさらわれないよう』講談社、16・4）ではイルカなどの骨からつくられるヒトを描くが、より気になる例と言えば、スペキュラティブ・デザインの芸術家である長谷川愛の『私はイルカを産みたい』（https://aihasegawa.info/i-wanna-deliver-a-dolphin　閲覧日、22・8・14）という作品である。『私はイルカを産みたい』では、プールの中で泳いでいる女性が現れ、その女がイルカの子を出産する。長谷川愛は人間中心主義の世界で子供を作ることと絶滅危惧類の動物や環境問題などを考えながら生んだこの作品だが、その前提としたものとその結果は村田沙耶香作品と共有していると思われる。

　最後に、「ニンゲンをやめる」、「人間が架空したすべてを忘れる」というのは、現代社会への批判としての解釈も可能である。『地球星人』にも出てくるヒントだが、社会のルールを忘れてからでないと元の姿に戻れない、と村田は推しているのではなかろうか。村田は人間中心主義も社会のルールも「嘘」であり、新しい「真実」を探せと言わんばかりに作品を描いているかもしれない。だからこそ彼女の書く小説は恐ろしい。フィクションを利用して、我々に新しい「真実」を見せてくれるかもしれないからである。それを信じるのは我々次第である。

（イタリア・トリノ大学外国語文学及び現代文化学部助教）

「満潮」——自分のものを探り当てる——スペッキオ・アンナ

「満潮」は『早稲田文学増刊　女性号』（17・9）に発表されたのち『変半身　かわりみ』（筑摩書房、19・11）に収録された。「満潮」のテーマといえば、『ハコブネ』や『星が吸う水』などで取り上げられた〈女性の性〉と、他者による〈性〉、〈セクシュアリティ〉と〈からだ〉の客体化なのだが、ここでは女性のそれだけではなく、男性のも扱われている。「満潮」では佳代が「夢精して」目を覚ました後、五歳年下の夫の直行が「潮噴き」と発言することで、二人のセックスレス結婚生活の転換が起きる。しばらくして佳代も「潮」に挑戦してみたいと言い出し、順番に風呂場に籠って、二人は「潮」を体験しようとするが、佳代が友人の雪子に夫の希望を打ち明けると、雪子は次のように述べる。

「潮なんて、男の人が喜ぶためだけの言葉だよ……さんざん人の身体を使って無理矢理引き摺り出そうとして、嫌な思いばかりさせて。自分のファンタジーを叶えるために、他人の性を踏みにじる。彼等のエクスタシーのための言葉なんだよ。私には、そういう言葉を使う人間が化け物に見えるときがある」（省略）

「潮は、私たちのものじゃない。男が女の身体を楽しむためのもの。だから絶対に、私は一生、身体からそんなもの出さない。自慰だってそう。私は絶対に一生しない」（省略）

「夢精はまだ、かろうじて汚されてない。気付かれたらあっという間に踏みにじられるよ。すぐに私たちのも

のじゃなくなる」(「満潮」の引用は『変半身　かわりみ』筑摩書房、19・11、134〜136頁)

雪子の言葉は、一九六〇年代から七〇年代にかけて行われたウーマン・リブの目標の一つを連想させる。第二フェミニズムの波が女のからだを男性の視線と管理から解放し、女性のものに戻すための運動でもあったが、現在になっても女性のからだは社会の架空に造られた制限によりコントロールされ、女性の私的所有ではないと言える。ただし、リブが特に女性のからだの健康にこだわった一方、村田のこの作品は女性のからだの性的客体化、そして膣の表象にこだわると思える。アダルト映画などでよく登場する女性のからだと膣は美化されたものであり、雪子が言う通り、女性のものではなく、男性を楽しませるための表象なのである。したがって、男性ははじめて女性の身体と膣を発見すると、そのときまで見た女性のからだと膣のイメージを想像し、その想像に近いものを期待する。しかしその期待の通りの女性のからだと膣は、社会が架空に造ったものであり、社会が〈汚した〉ものである。それゆえに、雪子が言う「潮は、私たちのものじゃない」という言葉が意味深い。女性の膣は、女性のからだの中にあるにもかかわらず、性行為のとき男性に簡単に見えるのに対して、女性が見るのには手鏡が必要であるため、男性の視線によって架空に造られたり、汚されてしまったりする。

　こういった対照性は本作の中で自分の膣を見たことがない佳代が初めてセックスするときに出てくる。佳代は濡れないと、自分のからだが間違っていると考えてしまい、その日から他人の期待通りになれなかった自分の膣は自分のものではなくなると信じてしまう。

私の身体は間違っていた。きちんと濡れなかった。きちんと快楽を覚えなかった。(省略)

私は正常な肉体になりたかった。彼に、ああ、これはちゃんとした普通の膣だと宣言してほしかった。(省略)

このときから、私の膣は私のものではなくなったのかもしれない。それまでは、見たことがなくてもその臓器は自分の身体の一部だった。けれど、道具としての膣が正常に動かないと知らされて、私は自分の膣が故障しているのではないか、直さなければならないのではないかと不安にかられた、

私は「架空の膣」を自分の脚の間に追い求めた。男性向けのアダルトサイトにアクセスしたり、アダルト描写のある漫画を読んだりしてどんなものが理想的な膣なのか勉強した。どの膣も異様なほど濡れたり水を噴きだしたりしていた。私は自分の膣にもそうなってほしかった。（「満潮」、152～153頁）

社会通念に汚された膣のイメージは「満潮」の中ではもう一つの要素によって強調されている。それは「生理」、もしくは「初潮」との対立である。なぜならば、「初めて」と「潮」という二文字からなる「初潮」はまだ他者の視線と社会の理想から汚されていないものであり、女性のものであるというふうに描写されているからである。「潮」で出てくる液体自体は「初潮」で漏れてくる血のように赤くなくても、半透明であっても、社会的な汚れをもたらす。村田沙耶香が作品の中で人の性・身体にこだわるのは〈セックスレスカップル〉や〈異常〉に対する賛美のためではなく、人の身体を客体として押し付けようとする社会の「理想」と「通念」と、人のセックスをコントロールしようとする社会自体への反撃の意図であると思われる。ちなみに、リブから七十年間も経ったこともあり、村田沙耶香はリブのときよりインクルーシブな表象を描写し、社会的な身体の客体化のために男性の身体の話にも触れる。

佳代は夫と「逃げようと思った。同じものに追いかけられているこの人となら、私たちに液体を出せと命じる大きな化け物から逃げられる気がした」（162頁）という表現から、女性も男性も同じ社会の期待などを背負わされていると明らかにする。自由になるのに女性も男性も、自分の身体とそれにまつわるすべてを自分のものに戻す必要がある。物語の終わりに登場する「三匹」の老婆のように。海の中で尿を噴き出す老婆は、社会の化け物か

ら逃走した人物であり、「人」ではなく「匹」で数えられる自由な存在なのである。老婆たちを見た佳代も、最後に、手鏡をもって自分の膣とその中を見てみる。本当の「満潮」を噴き出せる、自分のものを探り当てる。

（イタリア・トリノ大学外国語文学及び現代文化学部助教）

「丸の内魔法少女ミラクリーナ」

――魔法少女として生き続けるということ――

上戸理恵

『丸の内魔法少女ミラクリーナ』（KADOKAWA、20・2）は、「小説　野生時代」に掲載された四編が収められた短編集である。所収作品は〈現実〉や既成の制度を強くゆさぶるという点で共通しており、表題作「丸の内魔法少女ミラクリーナ」（13・7）は、空想（魔法）と日常の現実とを並存させて生きていく処方箋を示している。

ヒロイン・茅ヶ崎リナは、小学校三年生の時に始めた「魔法少女ごっこ」を、社会人となった現在でも続けている。斎藤美奈子は『紅一点論』（ビレッジセンター出版局、98・7）において、アニメ作品をはじめとする子ども向けコンテンツで「男の子の国」と「女の子の国」という異なる文化圏が存在していることを取り上げ、「女の子の国」の主要な女性像のひとつに「魔法少女」を挙げている。斎藤は、「魔法少女」を主に担うキャラクターは一〇～一二歳の女児であると述べており、この指摘をふまえるなら、大人になっても「魔法少女」であろうとするリナのふるまいは、「魔法少女」のアイテムや行動様式（呪文による変身など）にいかに忠実であったとしても（忠実であればあるほど?）、「魔法少女」の定型から大きく逸脱するものだと言える。

もっとも、「魔法少女」への変身という行為が単なる「ごっこ遊び」であることをリナ自身も十分に理解している点は看過すべきではない。リナは、「無論、自分が本物の魔法使いではないことくらいわかっている」という認識を持ったうえで、魔法の国からやってきた動物ポムポム（ということになっているブタのぬいぐるみ）と変身するときに使う魔法のコンパクトを、「雑誌の付録だったフルラのポーチ」の中に入れ、通勤用の「黒のセリーヌのバッグ」にしのばせている。いかにも丸の内OLらしいバッグ・ポーチのなかに隠されたアイテムたちは、たとえば急な仕事を頼まれたときの「変身」ごっこで活躍する。「頼れる大人のお姉さんキャラ」としてデータ入力をするリナは、「ヴァンパイア・グロリアンのかけた催眠術を解くための呪文を入力してるんだ！」という「妄想」を楽しむ。物語序盤では、リナの〈魔法〉は、「日常を面白おかしく料理して生きていく」ためのものであり、「ストレスフルな日々をキュートな妄想で脚色」する術として機能している。「魔法少女」という「キャラ」を経由することで、如才なくふるまう社会人という「キャラ」が完成するという構造は興味深い。

　さらに、「魔法少女」という「妄想」の「遊び」は、リナの脳内のみで完結せず、共有する仲間がいるという点も重要である。小学校の時からリナと友人関係にあり、リナを「魔法少女ごっこ」に誘った張本人であるレイコ。彼女は小学五年生のときに「魔法少女マジカルレイミー」を辞めているのだが、三六歳になった現在も、リナが「魔法少女ミラクリーナ」を続けていることを(半ばネタとして扱いながら)承認する〈共犯者〉である。本作は一貫して、リナとレイコという二人の(元)魔法少女の絆(シスターフッド)の物語として描かれている。

　物語の中盤では、リナとレイコが共有する「妄想」に、レイコの彼氏である正志が加わり、日常的〈現実〉とそれをキュートに彩る〈魔法〉というバランスは大きく崩れることとなる。この出来事の発端には、レイコに対する正志の「モラハラ」的態度がある。正志は、誤解による嫉妬から威圧的な言動でレイコを怯えさせる。

　リナの家に逃げてきたレイコを引き渡す条件として「じゃあ、魔法少女になりなさいよ」と、リナは正志に提案する。しかし、開き直った正志がこの条件を受け入れたことで、リナの「キュートな日常」を支えていた「魔法少女ごっこ」は「億劫で仕方がな」い「意味のない労働」へと姿を変えてしまう。魔法少女(=二代目マジカルレイミー）の役割を引き受けた正志が、リナとレイコの間で共有されていた「お遊び」の設定に過剰に適応し、「パトロール」という任務を全うしようとする。もともと「パトロール」は、リナとレイコが「魔法少女としての任務」という設定で行っていたごっこ遊びの一環であり、実際には「ゴミを焼却炉に持っていったり、花壇の雑草を抜いたり」といった「極めて地味なものだった」という。「ヴァンパイア・グロリアン」という仮想の敵は意識されているが、「本当に敵がいるわけはないので」という前提でその設定を楽しんでいたのである。しかし、正志は、「パトロール」自体に夢中になっていき、自分の正しさを示すために魔法少女としての活動である「パトロール」を利用する。正志の「パトロール」熱にリナは疲労し、「認めたくないが、ミラクリーナは負けたのだ」という敗北感と、正志のところへと帰っていくレイコを「救えなかった」という無力感に打ちのめされる。

「ミラクリーナ」の敗北が半ば決定づけられたように描かれるが、物語終盤近くで、逆転につながる契機が示される。正志のもとに帰っていったレイコは、「何か、リナや私たちの持ってた本物の感じと正志は違うの」、「とにかく、あの人がやってるのは本物じゃない」という不信感を口にする。〈本物〉とは何かということは判然としないが、「あの人が中年だとか、男だとかいう話じゃなくて」とレイコが言うように、年齢やジェンダーではなく、「魔法少女」の任務に向き合う姿勢や精神性が問題になっていることは明らかだ。

最終的にリナとレイコは、公共の場で独りよがりの正義感を振りかざす正志と対峙する。そのときにレイコは「初代マジカルレイミー」へと変身して、正志を「偽者」として成敗し、恋人関係を解消する。他方でレイコは、「あのとき、私たちが夢中になって変身した魔法少女は、そりゃ遊びだったけど、でも、何か本物の感じがあったと思うんだ」、「リナは本物だと思うの」とリナに〈本物〉の保証を何度も与える。〈本物〉について語るレイコの「真剣」な顔は、小学生の頃のレイコが「真剣」に「魔法少女」と向き合っていたことをリナに想起させる。

正志の退場により、リナは「キュートな日常」を取り戻したかのように見えるが、それだけではない。物語の序盤で「妄想」の「遊び」に過ぎなかった「魔法少女」の空間は、ラストシーンでは、リナとレイコの過去から現在の〈生〉をまるごと覆うものとなる。レイコからプレゼントされたミラノコレクションの金色のコンパクト、小六のときに初めて買ったコロン、お互いの足に塗り合うペディキュア。それらのにおいが充満するなかで「まるで、あのころからずっと繋がっている放課後の中にいるみたいだった」と感じるリナ。この最終場面では、子どもの頃の〈魔法〉の空間が大人としての現実空間と連続するものとして再発見される。〈魔法〉は、生きにくい現実／現在を快適にするというだけでなく、過去において存在していた（そして喪われてしまった）「私たち」にとっての「真剣」な「遊び」の空間――〈本物〉の世界――を取り戻すものにもなり得るのである。

斎藤美奈子によると、一九九〇年代までの「魔法少女」は、「男親の目から見た「理想的なうちの娘」として描かれて」おり、「親の庇護下で遊びながら結婚を夢みている少女（聖なる母予備軍）」というキャラクターを割り振られているという（『紅一点論』）。一方で、現在に至るまで、多様な魔法少女ものが生み出されており、そのなかには従来の魔法少女のキャラクター設定に対する抵抗や撹乱、批判性を示した作品もある（『魔法少女まどか☆マギカ』など）。ただし、批判的なものも含めて多くの「魔法少女もの」において、魔法少女というものが社会（および異性愛制度）に参入する前の少女期のジェンダー規範と強固に結びつけられていることは確かである。「丸の内魔法少女ミラクリーナ」では、魔法少女コンテンツの受け手である少女たちの「真剣」な「遊び」が、大人になっても手放されることなく守られ続ける世界が夢想されている。本作は、少女たちの〈魔法〉が成長（および男性の介入）で断念されない強靭さを持っていることを高らかに宣言する。

（札幌大谷大学講師）

「信仰」——「現実」という幻想——

市川紘美

1．はじめに　村田沙耶香『信仰』（文藝春秋、22・6）は全八篇の短篇小説およびエッセイから成る。作品の収録順は発表順ではなく、加えて小説またはエッセイとの明記も特になされずに並列されている。こう書いていくと作品間に直接的な連続関係はないように見えるが、各作品は〈社会〉あるいは〈現実〉をキーワードとしてゆるやかに繋がり、その底流から警報が響き渡る。村田テクストでは、我々が生きる現代社会という現実（村田にとっては「地球」とも言い換えられる）が生々しくトレースされる。そうして表出する「現実」は多くの場合、三者関係を軸にして描かれるという特徴を有する。本書から表題作「信仰」を取り上げてみよう。

2．それぞれの「現実」　本作は、主人公の「私（永岡ミキ）」が、中学の同級生である石毛に「なあ、永岡、俺と、新しくカルト始めない？」と勧誘されるところから始まる一人称小説である。石毛は「私」だけでなく同じ同級生の斉川にも声をかけていたが、過去に彼女は浄水器のマルチ商法に騙されたことがあった。石毛に勧誘されたことで集った三人だが、その思惑は三者三様であり、各自の核たる価値観、信じる「現実」も異なる。

まず、「私」は「原価いくら？」が口癖の現実主義者である。何より「原価」を重視し、「目に見えないもの」には全く価値を置かない。これが彼女の「現実」である。「現実」こそが「真実の世界」だと信じて疑わず、子供のころから「愛する人たちがうっかり騙されて損をしないように」目を光らせてきた。しかし、正義感のもと自身の信じる「『現実』へ『勧誘』し」続ける彼女を周囲の人々は疎むようになる。恋人も幼馴染も離れ、遂には妹までが「お姉ちゃんの『現実』って、ほとんどカルトだよね」という捨て台詞と共に去った。自信を喪失した彼女は他者の価値観に従属するようになるが、「なんでこんなものにこんなにお金を」という気持ちは消えない。「私」が信じる「原価」、これも「社会」という枠組みのなかの幻想に過ぎない。だが、彼女はこのことについて一切言及しない。「原価」「現実」と繰り返すほどに、実はその危うさを露呈し続けているのである。

　次に、「私」にカルト詐欺を持ちかけた石毛。彼は「ビジネス」の手段としてカルト詐欺を始めようとするが、「私」はその理由を「腕時計にハマってローンのお金が必要になった」ためで、「幻想に騙されたから、幻想を売ろうとしてる」と語る。石毛は詐欺の被害者を「バカ女」「カモ」と言って憚らず、自分は「騙される人間より優秀」だと信じて疑わない。更には「天動説セラピー」に参加した女性たちの裸体を盗撮して別の仲間たちと新たな金儲けまで企んでいた。このように石毛にとっての「現実」は貨幣価値を重視する資本主義経済にある。

　そして「私」が救いを求めた斉川である。「私」は斉川に「人の心に忍びこむ何か」「信じようって気持ちにさせる才能」があると見抜き、二人だけで会って「私のこと洗脳して」と訴える。この時、「私」は「騙される才能がある人間」になりたいという願いを告白し、「斉川さんの目は、本当に『信仰』してる」と言い当てる。これに対して斉川は「私、本当に、浄水器でみんなを幸せにしようと思っていたの。みんなのためを想ってたの。今度こそ、本当に幸せにしたいの。始まりはカルトだって、それで世界中の人が救われたら、それは真実になるわ。そう思わない?」と応じる。「今度こそ」という強い決意のもとに発せられた斉川の言葉に迷いは一切ない。彼女は石毛の誘いに乗った理由を「リベンジ」のためと語るが、その対象を明確にしていなかった。だが、先の言葉からはそれが他者であり、また自分自身でもあることが窺える。たとえカルトであったとしても、自分が他者を救い、幸せにすること、これが斉川にとっての「現実」なのである。

3．不均衡状態からの解消

「私」を軸に三者関係を捉えると興味深い点に気づく。心理学者のハイダーは三者以上の存在があるとき、その認知的ユニットは主体となる人物（P）、他者（O）、対象（X）から構成されるとし、その関係は均衡状態に向かう傾向があるとした。物語の展開において「私」と密接に関係してくるのは斉川である。そこで石毛を対象とすると、これを不要とする「私」と必要とする斉川という図式が成り立ち、不均衡状態にあるといえる。だが、作品終盤になると両者とも石毛を不要とする。つまり不均衡状態は解消されるのである。

　こうした変化は対象を「新しいカルト（天動説セラピー）」に置き換えても同様である。しかしその解消の図式において、前者は対象に対する負の掛け合わせとなるのに対し、後者は正の掛け合わせとなる点には留意したい。

　ここで再度「私」と斉川とが互いの内心を打ち明ける場面に注目しよう。「目に見えない幻想」に「騙される」ことを負として捉える「私」と正として捉える斉川とでは、その「現実」は対極にあるようにみえる。だが、両者の「現実」の根底には他者を「幸せにしたい」という同じ想いがあり、もとより親和性を帯びていたのである。

　一方、石毛には二人のような他者を「幸せにしたい」という想いは一切ない。ここにおいて両者の「橋渡し」となった石毛の存在は不要となる。作品終盤の盗撮が発覚した場面、石毛は次々に女性たちから殴打された挙句、斉川に「あとは、私が処分します」と宣告される。これによって不均衡が解消されることからも、石毛の排除は必然であったといえる。

　小此木啓吾は『秘密の心理』（講談社現代新書、86・4）において、秘密は自他を分けて他者との境界を設定するとしたうえで、秘密を告白することには三つの働きがあるとする。その一つが、自分の内的な感情、願望、不安などを打ち明けることで、相手との心理的距離を縮め親密になろうとする働きである。想いを打ち明けることで、語る者と語られる者との関係は一層の親和性および共存的雰囲気を帯びることとなる。

ここで「私」と斉川とがシスターフッドの関係にあると意味づけたいわけではない。内心を語り合うことで心理的距離を縮め、それぞれの価値観、「現実」を共有するに至ったという点を重視したいのである。「新しいカルト」を対象とする不均衡はこれによって正の掛け合わせとなり、解消されるのである。

4.「私」の「現実」の行方

「自分の『現実』への信仰」を「完璧には取り戻せないまま、失うこともできない」でいた「私」は、過去も現在も揺らぐことのない斉川に救いを求めた。この時、斉川の「まっすぐさ」に「私」は「『現実』を勧めつづけていた」かつての自分の姿を重ねる。とすると、斉川に救いを求めることは、実は「現実」が「全ての人の幸福」だと信じて疑わない自分自身に救いを求めることに他ならない。洗脳できなかった斉川に投げつけた「10万円返せ！」という叫びは「原価いくら？」が口癖の現実主義から出た言葉である。斉川に救いを求める限り、「みんなの世界」へ「連れて行って」もらうという「私」の切実な願いが叶うことはない。

この直後、「ジュウマンエンカエセ」の大合唱が夜空に吸い込まれていくという原始的祝祭空間が現出して本作は幕を閉じる。こうした場にあっても、「私」は自らが位置する空間を「私の地動説の空」「地動説の地面の上」と語る。「ジュウマンエンカエセ！」と必死に叫んだところで「私」の「現実」は変化していないのである。

しかし、「私」のその後を断定することは困難であろう。「橋渡し機能」は「繋ぐ」一方で「分ける」役割も有するが、それを担う石毛もういない。加えて、「騙される才能がある人間」たちの歌と踊りが、「私の地面を揺さぶり、空気を振動させ続けた」という点にも注意すべきである。原始的祝祭の後に表出する「私」の「現実」とは如何なるものか。はたまたそれは「現実」や「社会」などと言語化できるか。最後に「私」が発した野性的響きを有する「鳴き声」と共に、その答えは宇宙に投げ出されたままである。（東京女子大学他、非常勤講師）

「信仰」――「現実」という名の「幻覚」とともに生きる世界――山田昭子

『信仰』は小説六本、エッセイ二本の全八編からなる短編集で、二〇二二年六月に文藝春秋社から刊行された。表題作である「信仰」は、「文學界」二〇一九年二月号に掲載され、二〇二〇年十一月十八日に英訳「Faith」がイギリスの「Granta Online」で公開された。

　永岡ミキは久しぶりに参加した中学校の同窓会で再会した石毛から、後日お茶に誘われ、「なあ、永岡、俺と、新しくカルト始めない？」と誘いを受ける。永岡が「あ、勧誘だな」と思いながらも会いに行ったのは、「石毛は馬鹿だから勧誘されても別に自分は引っかからないだろう」という考えがあったからだ。だが、石毛のかつての恋人である斉川の登場が、事態を一変させる。永岡は「真面目な斉川さんを食い物にしようとする人間がいることが汚らわしく感じられ」、石毛を非難する。しかし斉川は、大学卒業後にマルチ勧誘に手を染め、浄水器を販売するようになり石毛と別れたのだという。断ることもできないまま、再び打ち合わせに参加してしまった永岡には、石毛を嘲笑することで「自分の「現実」への信仰を取り戻そう」という思いがあった。永岡は幼少期から「愛する人たちがうっかり騙されて損をしないように」目を光らせる子供で、周囲を「現実」へと勧誘し続けてきたが、とある出来事がきっかけで自身の「現実」への信仰を失いかけていたのである。かといって、鼻の穴のホワイトニングや高級食器ロンババロンティックに夢中になる周囲の価値観に迎合することにも疲れた永岡は、斉川に「カルト詐欺」に「勧誘してほしい」と電話をする。

本作では永岡、石毛、斉川それぞれの「信仰」が描かれている。永岡は当初、斉川を石毛から守るという使命感にかられていた。「大人しくて真面目で、目立つキャラクターではないが、賢くて信頼のおける人物として、担任の先生から可愛がられているタイプの女の子」である斉川を、「真面目で損をしているなあ」と眺めていた永岡にとって、斉川が「損」をしたり、「食い物」にされたりすることは、いわば斉川自身の価値が〈損なわれる〉ことを意味する。「原価いくら？」が口癖の永岡にとって、祭りの屋台やかわいいブランドのアクセサリー、ブランドものの洋服などで原価以上の値段を支払う友人を見過ごすことは、その友人が騙され、友人の持つ価値が〈損なわれる〉ことでもあるのだ。同時に自分が〈損なわれる〉ことにも恐れを感じており、アサミの家のお茶会で、「皆の気をひく話題」を提供するために石毛に勧誘された話を持ち出し、「自分がここにいていい時間がすこし延長されたような気持ち」になるが、「自分が甘い話に引っかかりかけている馬鹿だと思われているのではないかと、急に怖くな」り、斉川の名前も出してしまう。周囲に馬鹿にされること、それは自身の価値を損なうことへとつながる。二人の名前を出したことで〈損なわれる〉ことから自分を守った永岡であったが、「同じような言葉でさっきまで石毛を嘲笑していたのは、他でもない自分だった」ことに気付き、結果的に自身の価値を〈損なって〉しまう。永岡の苦しみは〈損なわせない〉ための信仰が、いつしか「正義感」に支配され、〈勝つ〉ための信仰へと変わってしまったことによる。「現実」にこだわり続けてきた永岡の「大好きなユカを幸せにしたくて、騙されて欲しくなくて……」という言葉に対し、ユカは「ありがとう。私の大切な幻想をまったく尊重せず、片っ端からぶち壊してくれて本当にありがとう」と言い放つ。夢見がちな妹が通う起業女子向けセミナーが詐欺で摘発された時、永岡は「ついに私の「現実」が勝った」、「現実こそが真の幸福だ」と思う。だが、「お姉ちゃんの『現実』って、ほとんどカルトだよね」という妹の一言が永岡の「現実」に対する自信を打ち砕いてしまうのである。

石毛にとっての「信仰」とは〈奪い、奪われる〉ための手段である。石毛が斉川を誘い、永岡に声をかけたのは、「一儲け」するためであった。詐欺に引っかかる人々を馬鹿にし、金銭を〈奪おう〉とする行為の裏には「腕時計にハマってローンのお金が必要になったから」という事情がある。「金でもプラチナでもない」腕時計に高額を支払う石毛もまた、自分の信じるものによって金銭を〈奪われ〉ている。

そんな石毛に誘われた斉川は、浄水器販売によって友達を失い、借金を作った過去を持つが、「リベンジ」するためにカルト宗教へと傾倒していく。斉川は「始まりはカルトだって、それで世界中の人が救われたら、それは真実になるわ」と言い、永岡はそんな斉川に「周り中の人に「現実」を勧めつづけていた自分」の姿を重ねる。だが二人には決定的に異なる点がある。

永岡は当初、斉川を必死に「現実」へと「勧誘する言葉を幾つも頭に浮かべたが」、「口から出せないまま飲み込ん」でしまった。アサミとのお茶会では「斉川さんのことを庇いたかったが、言葉が浮かばなかった」。浄水器販売をバカにする石毛に対し、斉川を庇おうとしながらも「喉から言葉が出ない」永岡は、自身の抱える矛盾を説明する「言葉」を持たない。「そういえば、私、なんで地動説を信じているのかなあ」という斉川の問いかけに対し、永岡は「頭の中にいくつかの答えが浮かんだが、全部、人から受け取った情報ばかりで、自分自身で地動説を体感したことなど一度もない」ことに気が付く。このことは、自分の姿が「浄水器や天動説セラピーに勧誘する人間の姿とどこが違うのかわからなくなっていた」永岡の抱える矛盾とも結びついている。自らの抱える矛盾を説明する「言葉」を持たない永岡は、自らの世界を構築する言葉を持たない。それに対し斉川は「言葉」による「心のタトゥー」を「天動説セミナー」の参加者たちに与える。斉川にとって「天動説セミナー」を通して

「なるべく『現代』を脱ぎ捨てて、古代に近い姿になる」ということは、既存の価値観を捨て、自らを取り巻く世界を捉え直すことである。斉川にとっての「信仰」とは、そのために必要な「言葉」を人々に〈与える〉ためのものである。

セミナーの最中、参加者である女性たちを盗撮して二重に儲けようとしていた石毛の企みが発覚する。「裁きを！」と声を上げる斉川の言葉に従った参加者たちは、コスモストーンアロマポットを掲げながら意識を失った石毛の周りを歩き始めるが、その様は、新たな世界の誕生とも読み取れる。石毛を地球として見れば周囲が動く「天動説」であり、太陽として見れば「地動説」であるという、二つの共存を受け入れた世界が形作られているからだ。「現実こそ、あなたの洗脳です。それこそがあなたが一生を共にする美しく完全な幻覚なのです」と永岡に言い放つ斉川の言葉には、「現実」が「美しく完全な幻覚」であるという、一見相容れない概念が共存している。だが、その言葉の裏には「現実」でさえも「幻覚」に過ぎないのであり、〈事実〉が必ずしも〈本物〉であるとは限らないという斉川の意図が読み取れる。

永岡は最後、「ジュウマンエンカエセ！」という「鳴き声」を放つ。カタカナ表記によって記号化された「ジュウマンエン」は、永岡が、自身の信仰する「現実」世界の貨幣価値から解き放たれたことを示す。永岡は「現実」以外のものに「信仰」があると信じ、斉川に救いを求めていたが、実は「現実」もまた「一生を共にする美しく完全な幻覚」であり、それこそが永岡にとっての「信仰」であったのだ。「ジュウマンエンカエセ！」という「鳴き声」は、そのことを「私の地動説の空」、「私の地面」として引き受けようとする永岡の、新たな誕生の瞬間であり、産声であるといえよう。

（専修大学他非常勤講師）

「信仰」

——「信仰」の言葉による「リベンジ」は可能か——但馬みほ

「信仰」は、二〇二二年六月刊行の同名の単行本（文藝春秋）に収められた短編である（「文學界」19・2）。言葉の矛盾や誤謬が意図的に多用され、不条理な悲喜劇が繰り広げられる。中学校の同級生だった永岡（語り手）、石毛、斉川の三人は、揃って他の同窓生とのつきあいが希薄である。永岡と斉川は、石毛の誘いによってカルト詐欺に関与することになるのだが、本論は共通項の多い三者の関係に注目することで、本作の鍵概念である「信仰」と「リベンジ」について考えを巡らせたい。はじめに永岡と石毛に共通する属性を確認してみよう。

永岡は自分の居場所を確保するために、同窓生のアサミらお茶会仲間に対して本心を欺いて話を合わせ、理解できない彼女らの価値観に「従属」（35頁、以下引用は単行本）しようと努めている。それとは対照的に石毛には率直に感情を表し、本心を躊躇なく言葉にしている。同様に石毛も永岡に対して偽ることなくカルト詐欺の話をもちかけている。加えて永岡と石毛はスピーチレベルが同等である。詐欺にあった妹を「現実」の側に引き戻そうとして永岡が見せつけた動画のタイトル「キラキラ女子がハマる、起業セミナー詐欺の実態！逮捕の現場に潜入！」（33頁）の扇情的な文体は、石毛が仲間に送っていた盗撮動画のタイトル「盗撮ＡＶ・衝撃！全裸スピリチュアルにハマる女たちの本気ストリップ！（完全盗撮素人もの・本番なし）」（50頁）の形態と酷似している。永岡は石毛をバカ扱いしているが、それはかつて永岡自身が妹に対して取った態度と重なる。詐欺の被害者となってしまった妹に、永岡はあたかも自分が信奉する「現実」が勝利したのだと言わんばかりに興奮し、被害を受けたことで「妹が思い知ったのだ」（34頁）と冷酷な言葉を吐く。そこに妹への同情は微塵も感じられない。浄水器詐欺に騙された斉川を侮蔑し嘲笑する石毛に、永岡はかつての自分の姿を重ねて恥入るのだった。このように共通の属性を持つ二人だが、天動説セラピーの会場で永岡が石毛に対して発した言葉にも注意したい。石毛がセラピー参加者の裸を撮影していたことが露見する場面である。斉川の掛け声で参加者は石毛の頭部をアロマポットで殴打し、永岡も行為に加わるのだが、それは皆に同調したからではなく、自分の裸を石毛に見られたくないという実際的な理由からであった。石毛のＬＩＮＥ画面を見て「すごいね、石毛やるじゃん、二重に儲けようとしてたんだ」（51頁）と咄嗟に発した言葉は、永岡の本心から出た褒め言葉とも考えられる。永岡と石毛は、物語の終盤で斉川によって「裁き」を受けることになるのだが、その点に移る前に、石毛と斉川の関係を簡単に述べておこう。

　マルチ商法にはまったせいで交際を解消された石毛から、こともあろうか石毛自身の借金返済のために詐欺セミナーを始めることを呼びかけられた斉川は、石毛の誘いを利用して、自分の「信仰」を嗤った人への「リベンジ」を思いつく（14頁）。皮肉なのは、騙された側の斉川が、騙した相手に復讐するのではなく、逆に騙す側の人間に成りかわることである。騙された者が騙す側に回るという点では、石毛も斉川も同類なのである。

　では永岡と斉川の関係はどうだろう。斉川がマルチ商法を信じたために人々が離れていったのと同様に、永岡は自分が信じる「現実」を押し付けたことで妹や友人たちを失ってしまう。永岡は子どもの頃、物の原価を暴くことで人から褒められありがたがられた体験から、「現実」への「信仰」に傾倒していったのだが、その深層には感謝の言葉を得たいという承認欲求があった。「信仰」を人に強要したのは永岡も斉川も同じである。永岡は人を騙す「才能」を持つと信じる斉川に、自分を「洗脳」して「みんなの世界へ『連れて行って』くれる」（40頁）ように懇願し、斉川はその言葉を受けて「一生懸命がんばって洗脳するね」（41頁）と答える。本来の意味が剥奪され、恣意的に領有された「洗脳」という言葉が「だれよりも『信仰』している人」（39頁）から発せられる。言葉によって騙されたがために、逆に言葉で人を支配することをもくろむ斉川は、所詮は教祖を演じる偽物でしかない。

　斉川の浄水器信仰を信じなかった石毛と永岡に、斉川が「復讐」（24頁）を果たすのではないか。永岡の怖れが的中し、セラピー参加者の裸を撮影して金儲けを企んだ石毛の頭部めがけて、斉川は惑うことなくアロマポットを振り下ろす。暗闇の中、相手もわからずにそのような行為に及ぶことは果たして可能だろうか。斉川は端から石毛の企みに気づいており、それを利用して彼を排除する機会を狙っていたのではないだろうか。それは、参加者を石毛成敗に誘導するとも取れる斉川の以下の言葉に示唆されている。「獲物が動く音、誰かの気配、森のざわめき……」（49頁）。あたかも邪魔者が茂みに潜んでいることに注意を向けさせるような言辞である。石毛は「裁き」として直接的な暴力を振るわれ「処分」（53頁）される。一方永岡は、上述の通り自分と石毛が斉川の「リベンジ」の対象になるのではないかと怖れていた。永岡に対する「リベンジ」は、斉川から放たれた言葉（「心のタトゥー」、45頁）によって遂行される。このことは、永岡がそれまで残酷な「現実」の言葉で傷つけた友人や妹からの、斉川を介した「リベンジ」ともいえるだろう。自分自身が放った言葉の「業」（56頁）を、永岡は一生背負っていかなければならない。ここで指摘しておきたいのは、本作の語りが各所でパラレルになっていることだ。最も顕著なのは、斉川が永岡に向けて発する以下の言葉である。「現実こそ、あなたの洗脳です。それこそがあなたが一生を共にする美しく完全な幻覚なのです。それがあなたの宿命なのです」（同右）。これは、かつて永岡が妹から言われ、爾来忘れることができない「お姉ちゃんの『現実』って、ほとんどカルトだよね」（33頁）という言葉と共鳴する。

本作では、永岡と斉川に対して異なる結末が用意されている。語りの中で永岡は、自分には理解不能な価値観の存在(24、33頁等)に幾度となく言及していることから、逆説的に他者の価値観に対する受容への道筋がおぼろげながら立ち上がってくる。わからないことをわからないと表明することで、言葉は認知される。同意・承認はできずとも、他者を受容することは可能なのである。従属か支配かという二者択一ではない可能性がそこに開かれる。一方、斉川のカルトは、彼女の望み通りにいずれ「本物」になることはありえない。ロンババロンティックはロンババロンティックである限りにおいて真正なのであり、そこに偽りがないからこそ価値が生じる。対照的に、ただの石ころを隕石と偽ってアロマポットを売りつける詐欺行為は、浄水器詐欺と何ら変わるところがない。どう取り繕っても、斉川の「カルト」は、「本物」の「信仰」にはなりえない。石毛と永岡への「リベンジ」は果し得たかもしれないが、斉川は畢竟「信仰」の言葉に翻弄されているに過ぎないのである。

(日本近現代文学・比較文化研究者、翻訳者)

『コンビニ人間』から「無」へ

――「正常」と「異常」が交錯する世界の不／可能性をめぐって――

柳井貴士

「いらっしゃいませ！」／私はさっきと同じトーンで声をはりあげて会釈をし、かごを受け取った。／そのとき、私は、初めて、世界の部品になることができたのだった。私は、今、自分が生まれたと思った。世界の正常な部品としての私が、この日、確かに誕生したのだった。（村田沙耶香『コンビニ人間』文藝春秋、16・7、20頁）

一九二〇年に発表されたチェコの作家カレル・チャペックの戯曲「ロボット（RUR）」は、一九二四年、築地小劇場にて「人造人間」と題して上演された。「ロボット」が描いたのは産業社会における人間の生きざまであった。人間の代替としてのロボットは、人間価値の縮小を暗示し、そこに終末的な世界観も重ねられていた。チャペックから遠く離れた現代、労働とロボットの関係は、さらに人工知能やポストヒューマンという概念を含みこむ形で進展している。労働をめぐる人間の人間たるゆえんは多様な意味をはらんでいくのである。

そして、チャペックが思考した労働としての「ロボット」は、村田沙耶香の紡いだ〈コンビニ人間〉とどこか共鳴しているように思える。自己同一性への不安があるわけではないが、他者と隔絶していると実感する「私」は、〈機械〉としての、あるいは〈部品〉としての自分をコンビニに同化させることで自己実現を果たそうとする。

チャペックの示した労働の代替可能性は人間との軋轢を生んだが、人間自体が「世界の正常な部品」として機能することで「正常」さを実現するのであれば、「私」という人間の、未来への可能性が含有されていることになる。「コンビニ人間」は、労働を焦点化しつつ、世界に対して生きる可能性のあり様を示してもいるのだ。

　村田沙耶香は現代社会が直面する「正常」と「異常」の境界線を見据え、統合の試みとその不可能性や、越境と衝突を描いてみせる稀有な作家である。村田作品の特徴について飯田祐子は次のように述べる。

> 　村田沙耶香の作品に特徴的なのは、「正常」と「異常」という極度にバイナリな世界である。『星が吸う水』『ハコブネ』『タダイマトビラ』『しろいろの街の、その骨の体温の』など、「異常」の側から「正常」に向けて語られる作品の系列と、『殺人出産』や『消滅世界』など、異なる「正常」を語ることで「正常」の狂気性を語る系列がある（飯田祐子「〈語りにくさ〉を語ること——村田沙耶香を読む」『日本文学』17・7、92頁）。

「コンビニ人間」は、まさに「正常」と「異常」の境界に焦点を当てた作品であった。コンビニでの労働が、自己を「正常」化させる営みである本作は、一方コンビニで働く同僚との「同化」という問題も示していた。話し方、服装を〈真似る〉ことで類似したコピーとして、自己実現を目指す。それはコンビニという空間においては、「正常」でありながら、外の世界では「異常」にもとれるが、同時に、現代社会において、自らの居場所を、機械として、部品として見出し、そのことを再認識しえた人間のあり様としても捉えられる。

　そしてこれは〈信仰〉にも似ているように思える。村田沙耶香「信仰」（「文學界」19・2、単行本・文藝春秋、22・6）は、眼前にある確固とした現実に依拠して生きる「私」の生きづらさを描いた作品である。それが「異常」であると認識されることで、その脱却のため徐々に〈信仰〉へと引き付けられていく。儀式や〈信仰〉が日常に潜むことが、「正／異常」の認識の懸隔から語られるのである。つまり相対化や多様性という言葉の表層に留まらず、「正常」であると自認される視点人物の葛藤が、村田作品の根幹をなしているともいえる。

二〇二二年一二月に出版された『絶縁』（村田沙耶香、アルフィアン・サアット、郝景芳他執筆／藤井光他訳、小学館）には、アジア九都市に住まう九人の作家の作品が収録され、村田はここに「無」という作品を発表している。この作品でも「正常」と「異常」は機能的に働いている。

本作は三人の視点から描かれている。友人戸川から最近娘が〈無〉に憧れて困っていると告げられる美代、その娘である奈々子、戸川の娘で〈無〉に感心を抱く琴音。それぞれが一人称視点で語る構造をとっている。作品内では世代間の差違が強調され、各人が普通だと思っている認識が、やがて「異常」性を帯びていることが記されていく。本作では〈無〉が何であるかが問われると同時に、〈東京タワー〉が重要な役割を果たす。

> 東京タワーの中で、地下のようなところへ向かう階段を見たのを思い出した。きっとあの階段の下に大きな地下室があって、そこで「感情」が作られているのだ。（中略）どんな感情を作って流し込むのが経済の発展に効果的で、ちょうどいい数の人間が繁殖するか、すごく完璧な計算しているのだろうなあ。（18頁）

塔が監視の役割をしていると認識する美代は、その不可視の地下を想像する。奇妙なパノプティコン的存在の〈東京タワー〉は、美代の感情の起源であり、だが〈母性〉だけは流し込んでくれなかった。世代が共有する大きな感情の物語は塔によって支配されており、世代間の差異はこの塔からの電波の違いによって形成されていると思考する美代にとって、〈東京タワー〉は自己の欠落の代償装置として機能しているのだ。

〈無〉を求め「無街」に住んだ奈々子、〈無〉に憧れつつ奈々子の居る「無街」を訪問し、そこに〈無〉とは無縁な有利と不利の構造を見つけ失望した琴音。奈々子はやがて忘却の不可能性、つまり〈無〉の追求の困難を悟り、「無街」を出ることにする。数年後、外の世界で再会した奈々子と琴音は美代の話をする。美代は〈完璧な無〉に成功し、東京タワーを巨大な祭壇に見立て、混沌からの解放＝〈無〉への祈りを求める人々の救世主、「『無街』の象徴的な存在」（65頁）になっていた。〈無〉が〈信仰〉となり、宗教的要素が加味されているのである。

作品「無」は、混沌とした現代社会からの切断を希求し、記憶や他者との関係性の煩わしさからの解放を示唆しつつ、その〈無〉という境地が物理的でランドマーク的な〈東京タワー〉を祭壇とする矛盾をはらむ。人間が肉体として存在することと、〈無〉であろうとすることの衝突は、不可能性を示しつつ、それでも救済を求める人々は消えない。〈無〉であろうとすることは忘却をはらむ。大人びた視点を持つ琴音は、美代に別れを告げた奈々子の記憶の忘却を予想し、さらに「私も、きっとこの光景をすぐに忘れ、もしくは改竄してしまう」（70頁）と考える。世界に存在してしまったという不可避な現実とそこからの脱却、この衝突は何に起因するのか。生存によって生じる優位と不利という世界構造への絶望と、絶望自体への諦念の交錯。「正常」と「異常」は、「無」では世代間に生じる偶然でしかないことが示唆される。相対化と絶対化の交わる地点にて、〈無〉は異様でありながらも、まともな精神構造の発露となっている。

村田沙耶香の捉える現代社会、世界のあり様は興味深い。相対化を出発点に、自分が存在する世界の正当性を発見しつつ、それが他者には歪に映る構造。だがその他者とは「正常」な存在であるのか。それをめぐる葛藤の物語構造こそ、村田作品の魅力なのである。

（愛知淑徳大学教員）

村田沙耶香　年譜

スペッキオ・アンナ

一九七九（昭和五四）年

八月一四日、千葉県印西市で生まれる。父、母、六歳上の兄の四人家族。村田本人が言うには、普通の家族だったらしく、親は夏になると必ず子供をキャンプに連れて行ってくれた。後に、よく村田の小説の舞台となる、千葉ニュータウンで育つ。

一九八六（昭和六一・平成元年）年　七歳

小学校へ入学。幼い頃から本を読むのが好きで、実家の二階にあった本棚から兄の好きなSF小説と母親が好きなミステリー小説などを借りて読破。衝撃的だったのはジュール・ルナール『にんじん』だ。ワープロを手に入れて、友達に見せるため少女小説を書き始める。ピアノを習わせられ、清楚なワンピースを着させられると同時に、テレビ番組や大人の会話から「女の子は可愛らしく振舞い、年頃になったら素敵な男性に見初められればよい」などという親の願いを感じ取り、「女の子」であることに違和感を持った。

一九九二（平成四）年　一三歳

中学校へ進学。クラス内はいくつかのグループに分かれ、最初は仲がよかった同級生に「死ね」と言われるようになり、「死をもって告発したいと思った時もありましたが、私が死んでもその子は葬式で笑うだろうなと思いました。やっぱり生きていたかった。その時、小説を書いていたので、それも生への執着につながった。何があっても生き抜くことが一番大事だという思いがありました」（https://www.nippon.com/ja/japan-topics）と語る。

一九九五（平成七）年　一六歳

印西市の小中学校を経て、二松學舎大学附属沼南高等学校（現・二松學舎附属柏高等学校）へ進学。高校生になって山田詠美作品との出会いにより、女の体は男性に見初められるものではなく、自分のものであると悟る。受験もあって執筆できなくなる。この頃、東京へ移住。

一九九八（平成一〇）年　一九歳

玉川大学文学部芸術学科芸術文化コースへ入学。大学生活の傍ら、横浜文学学校に通い始め、宮原昭夫の元で勉強し、再び執筆。少女小説から純文学小説に向かう。松浦理英子の『親指Pの修業時代』を読み、救われた気がしたという。この頃、「妖精の唇」という同性愛についての短編と「授乳」につながる作品を書く。コンビニでのアルバイトを始める。

二〇〇二年（平成一一）年　二三歳

玉川大学文学部芸術学科芸術文化コースを卒業。

二〇〇三（平成一五）年　二四歳

横浜文学学校の課題のために書いた「授乳」（「群像」6月号）で、第四六回群像新人文学賞を受賞しデビュー。「コイビト」（「群像」12月号）発表。

二〇〇五（平成一七）年　二六歳

二月、『授乳』（「授乳」「コイビト」「御伽の部屋」（書き下ろし）所収。講談社）刊行。「水槽」（「群像」5月号）発表。

二〇〇七（平成一九）年　二八歳

「ひかりのあしおと」（「新潮」2月号）発表。この頃、友達とコイビトに恵まれていたようだが、言語化できない違和感も抱いていた。そんな苦しみを救ったのは当時刊行された松浦理英子『犬身』という。

二〇〇八（平成二〇）年　二九歳

三月、『マウス』（講談社）刊行。「ギンイロノウタ」（「新潮」7月号）発表。十月、『ギンイロノウタ』（「ギンイロノウタ」「ひかりのあしおと」所収。新潮社）刊行。

二〇〇九（平成二一）年　三〇歳

「星が吸う水」（「群像」3月号）、「街を食べる」（「新潮」8月号）発表。九月、伊井直行『ポケットの中のレワニワ』のブックレビューを「小説トリッパー」（秋季号）に掲載。「ガマズミ航海」（「群像」12月号）発表。『ギンイロノウタ』で第二二回三島由紀夫賞候補、第三一回野間文芸新人賞受賞。

二〇一〇（平成二二）年　三一歳

「パズル」（「早稲田文学」第10次3号、1月）発表。二月、『星が吸う水』（「星が吸う水」「ガマズミ航海」所収。講談社）刊行。同作で、第二三回三島由紀夫賞候補。四月、講談社文庫『授乳』刊行。「アウトサイド・レビュー（第二七回）ダイアローグ・イン・ザ・ダーク」（「文學界」4月号）掲載。『群像』（5月号〜7月号）誌上にて川村湊、野崎歓と「創作合評」を行う。七月六日、多摩美術大学芸術学科「アーカイブ設計ゼミ　特別講座　村田沙耶香　〜花と肉体と宇宙〜」に参加。「ハコブネ」（「すばる」10月号）発表。

二〇一一（平成二三）年　三二歳

三月、講談社文庫『マウス』刊行。「タダイマトビラ」（「新潮」8月号）発表。十一月、『ハコブネ』（集英社）刊行。

二〇一二（平成二四）年　三三歳

二月、山田詠美『学問』（新潮文庫）の解説を書く。三月、『タダイマトビラ』（新潮社）を刊行。同作で第二五回三島由紀夫賞候補。四月、「かぜのこいびと」を『早稲田文学　記録増刊　震災とフィクションの〝距離〟』（早稲田文学会）に発表。九月、『しろいろの街の、その骨の体温の』（朝日新聞出版）刊行。

二〇一三（平成二五）年　三四歳

「生命式」（「新潮」1月号）発表。二月、講談社文庫『星が吸う水』刊行。六月、川上弘美『なめらかで熱くて甘苦しくて』のレビューを「小説トリッパー」（夏季号）に掲載。「丸の内魔法少女ミラクリーナ」（「小説　野生時代」7月号）、「秘密の花園」（「小説　野生時代」12月号）発表。『しろいろの街の、その骨の体温の』で第二六回三島由紀夫賞受賞。

二〇一四（平成二六）年　三五歳

「余命」（「すばる」1月号）、「清潔な結婚」（「GRANTA JAPAN　With早稲田文学」1号、3月）、「トリプル」（「群像」2月号）、「殺人出産」（「群像」5月号）発表。一月、新潮社文庫『ギンイロノウタ』、七月、『殺人出産』（「殺人出産」「トリプル」「清潔な結婚」「余命」所収。講談社）刊行。『殺人出産』で第一四回センス・オブ・ジェンダー賞少子化対策特別賞受賞。「無性教室」（「小説　野生時代」8月号）、「夏の夜の口付け」（「BIRD」7号、9月）発表。九月、岸本佐知子編『変愛小説集　日本作家編』（講談社）に「トリプル」収載。九月二四日、紀伊国屋書店新宿本店開催「『変愛小説集　日本作家編』

（講談社）刊行記念トークイベント　岸本佐知子×村田沙耶香『愛って変なもの。』」に参加。

二〇一五（平成二七）年　三六歳

「コンビニエンスストア様」（「文學界」1月号）、「二人家族」（「花椿」1・2月合併号）発表。五月、川上弘美『七夜物語』（朝日文庫）の解説、六月、桐野夏生『抱く女』（新潮文庫）の解説を書く。七月、朝日文庫『しろいろの街の、その骨の体温の』刊行。「消滅世界」（「文藝」秋号）発表。九月、『きれいなシワの作り方〜淑女の思春期病』（マガジンハウス）、一二月、『消滅世界』（河出書房新社）刊行。一二月一八日、「朝井リョウと加藤千恵のオールナイトニッポン（ZERO）」（ニッポン放送）に参加。

二〇一六（平成二八）年　三七歳

一月二一日、「『消滅世界』刊行記念　村田沙耶香さん×雨宮まみさんトーク&サイン会」（三省堂書店池袋本店）に参加。二月、「コンビニエンスストア様」を『ラヴレターズ』（文藝春秋）に収録。「素敵な素材」（「GRANTA JAPAN With早稲田大学」3号、2月）発表。四月二九日、「ご本、出しときますね？」（BSテレビ東京）に出演。五月二二日、「ボクらの時代」（フジテレビ系列）に出演。「コンビニ人間」（「文學界」6月号）、「魔法のからだ」（「Maybe!」1号、6月）発表。七月、『コンビニ人間』（文藝春秋）刊行、同作で第一五五回芥川賞受賞。七月二三日、「めざましテレビ」（フジテレビ）に出演し、作家仲間から「変わった人」だとよく言われていることなどについて話す。八月、講談社文庫『殺人出産』刊行。八月二一日、紀伊国屋書店新宿本店開催「トークイベント&サイン会」に参加。二四日、初の試みとなる「コンビニでのサイン会」開催（セブン―イレブン神田専大通り店会場）。二五日、「めざましテレビ」（フジテレビ）に出演し、『コンビニ人間』刊行後、コンビニでのサイン会をしたら不思議な気持ちがしたなどと語る。九月八日、「ゴロウ・デラックス」（TBSテレビ系列）に出演。一一月、集英社文庫『ハコブネ』、新潮文庫『タダイマトビラ』刊行。『VOGUE JAPAN Women of the Year 2016』を受賞。一七日、「クローズアップ現代+」（NHK）に、一九日、「SWITCHインタビュー達人達」（NHK）に出演。一二月七日、宮城学院女子大学日本文学科は日本文学会共催「村田沙耶香（芥川作家）×池上冬樹（文芸評論家）―船公開作家特別対談」に参加。八日、Yahoo! JAPANによる「Yahoo! 検索大賞」

の「作家部門賞」を受賞。二二日、Eテレ「おやすみ王子」で「大きな星の時間」が朗読される。東京・下北沢「inspire:tion presentsコトノハ音楽会」に参加、ロックバンドinspire:tionと競作した「藍色さんぽ」を発表。一〇日、二松學舍大学人文学会第114回大会講演会「小説が生まれるとき」というタイトルで講演、のちに「二松學舍大学人文論叢」（99号、17・10）に掲載。

二〇一七（平成二九）年　三八歳

一月一二日、卒業後十五年ぶりに母校玉川大学を訪れ、小原芳明学長と対談を行う。一九日、蔦屋書店開催「村田沙耶香スペシャルトークイベント&サイン会」（TSUTAYA TOKYO ROPONGI会場）に参加。二月一一日、「インタビュー　ここから」（NHK総合テレビ）に出演。三月一九日、宮原昭夫『宮原昭夫評論集』出版記念対談「宮原昭夫と村田沙耶香が小説の根幹を語る」に参加。四月七日、出身大学である玉川大学で「学友会寄附講座」を担当し、大学入学前は心理学を学ぼうと思っていたが、「ギリギリのところでもう一度小説を書きたいと思ったのです。強く、衝撃的、魅惑的な小説を。少しでも芸術を学べる大学に行きたいと考えて玉川大学文学部芸術学科へ進みました」と語る。「「わたしたち」が進む世界（特集　松浦理英子：作家は危うきに遊ぶ）」（「文學界」6月号）発表。七月二一日、「木谷美咲×村田沙耶香×藤野可織　女たちが愛でる、植物の美とエロス　『官能植物』（NHK出版）刊行記念」（本屋B&B会場）に参加。「満潮」（川上未映子編「早稲田文学増刊　女性号」9月）、「素晴らしい食卓」（「MONKEY」十三号、10月）発表。「来たるべきエロス　The Eroticism to Come　鼎談　千葉雅也×村田沙耶香×松岡正剛」（「STUDIO VOICE　特集 ゆらぐエロ 〜ALTERNATIVE EROTICISM〜」411号、10月）に参加。一〇月六日、「人間ってナンだ？超AI入門」（NHK　Eテレ）に出演。

二〇一八（平成三〇）年　三九歳

一月三一日、「白の美術館・小説家　村田沙耶香」（テレビ朝日）に出演、番組内で「ポチ」を発表。「「見えない世界」の外へ」を（「新潮」2月号）、「土脈潤起（どみゃくうるおいおこる）」（「群像」2月号）発表。四月七日、心斎橋大学にて、長嶋有との特別講義。六日、国際交流基金事業で初ブックツアーへ旅立つ。イギリスでは翻訳家の竹森ジニーと、チェルトナム文学祭、ロンドンの本屋「foyles」などのイベントに参加。その後、カナダとアメリカへ渡航。トロントではTIFA（トロント国際作家祭）に参加。七月、河出文庫『消滅世界』刊行。二八日、「タイプライターズ～物書きの世界～」（フジテレビ）にゲストとして参加。八月、『地球星人』（新潮社）刊行。「孵化」（「小説トリッパー」夏季号）発表。九月、文春文庫『コンビニ人間』刊行。七日（金）から四週連続で、TOKYO FM「三井ホーム Presents キュレーターズ～マイスタイル×ユアスタイル」に出演、『コンビニ人間』のオーディオブックで朗読を担当した大久保佳代子（タレント）と対談。一〇月、『となりの脳世界』（朝日新聞出版）刊行。一一月三日、日本交流基金／ジャンパン・ソサエティ共催によるニューヨークでのトークイベントに竹森ジニーと参加。「文藝賞」の選考委員を務める（「文藝」冬号～21・冬号）。一二月、文春文庫『きれいなシワの作り方～淑女の思春期病』、『私が食べた本』（朝日新聞出版）刊行。

二〇一九（平成三一・令和元年）年　四〇歳

一月二五日、国際基督教大学ジェンダー研究センター／アジア文化研究所共催「村田沙耶香×竹森ジニー対談　ジェンダー、文学、翻訳」に参加。「この人の月間日記　コンビニ人間、アメリカ大陸へ行く」（「文藝春秋」1月号）、「信仰」（「文學界」2月号）発表。二月、文春文庫『ラヴレターズ』に「コンビニエンスストア様」を収録。二月一八日、バルセロナにて翻訳家アルベルト・ノーリャも含む、カサ・アジア及び国際交流基金共催のイベント「作家　村田沙耶香との対話：女性と日本文学の現在」に参加。二〇日、イギリスのマンチェスターでWaterstones主催「Sayaka Murata and Yuya Sato in Conversation」というイベントに参加。マンチェスター・インターナショナル・フェスティバルの「Studio Créole」で講演。四月九日、資生堂ギャラリーと銀座蔦屋書店共催「オンライントークイベント　トークシリーズVol.3　細倉真弓（写真家）×村田沙耶香（小説家）対談」に参加。五月、尾崎世界観『祐介・字慰』（文春文庫）の解説を書く。一四日、TBSラジオ「ACTION」に参加し、「音楽は聴くものじゃなくて、見るもの」を講演。「生存」（「文學界」7月号）、「変容」（「小説　野生時代」8・9月号）、「カルチャーショック」（「文學界」9月号）発表。八月、デンマークへ渡航、Louisiana Literature Festivalというイベントに参加。九月一五日、松井周との共同原案プロジェクト「inseparable」の始動を発表する「村田沙耶香x松井周inseparable『変半身かわりみ』プレトークイベント」を主催。一〇月、『生命式』（「生命式」「素敵な素材」「素晴らしい食卓」「夏の夜の口付け」「二人家族」「大きな星の時間」「ポチ」「魔法のからだ」「かぜのこいびと」「パズル」「街を食べる」「孵化」所収。河出書房新社）刊行。一一月、『変半身』（「変半身」原案＝松井周、「満潮」所収。筑摩書房）を刊行。一三日、紀伊国屋書店新宿本店開催「トークイベント＆サイン会（柴崎友香スペシャルゲスト）」に参加。三〇日、青山ブックセンターの村田沙耶香x鳥飼茜トークイベント「二つの『変半身』をめぐって」『変半身』記念刊行イベントに参加。同日、『コンビニ人間』がNHKでオーディオドラマ化（https://www.nhk.or.jp/audio/html_fm/fm2019033.html）。

二〇二〇（令和二）年　四一歳

「グランメゾン東京」ドラマ化記念　食体験エッセイ「村田沙耶香とＩＮＵＡ」（「小説　野生時代」1月号）発表。一一日、「気持ちよさという罪」を「朝日新聞」に掲載。二月、『丸の内魔法少女ミラクリーナ』（「丸の内魔法少女ミラクリーナ」「秘密の花園」「無性教室」「変容」所収。角川書店）刊行。二一日、カドブン（KADOKAWA文芸WEBマガジン）主催、モモコグミカンパニー（BiSH）×村田沙耶香（対談）に参加。五月、「「わたしたち」が進む世界」（「文學界」17・6月号）を、松浦理英子『最愛の子ども』（文春文庫）の解説として掲載。五日、「【オンライン本屋博士】金曜に、買いすぎた玉子を食べながら」（木村綾子聞き手）に朝吹真理子と犬山紙子と参加。二〇日、ジャパン・ハウスサンパウロYouTubeチャネルにて『読書クラブ　作家　村田沙耶香氏トークイベント』に特別ゲストとして参加。八月七日、J-WAVEのPodcast連動プログラム『INNOVATION WORLD ERA』のワンコーナー「FROM THE NEXT ERA」にて後藤正文とトークを展開。「世界99」（「すばる」11月号～）連載開始。「人間を剥がす生きもの（特集　西加奈子）」を（「ユリイカ」11月号）に掲載。『地球星人』英語版刊行後、英ＢＢＣにより「２０２０年度ベストブック」に選出される。「文藝」の「〈特集2〉非常時の日常：23人の２０２０年4月～5月」（「文藝」秋号）の5月24日を担当。

二〇二一（令和三）年　四二歳

一月、「余命」を新井素子編『ショートショートドロップ』（角川文庫）に収録。「彼らの惑星へ帰っていくこと」（「新潮」2月号）発表。二月二八日、「ボクらの時代」（フジテレビ系列）に出演。リレーエッセイ「肉体が見た奇跡・私の身体を生きる」（「文學界」4月号）発表。

四月九日、「オンライントークイベント　資生堂ギャラリー×銀座 蔦屋書店 連続トークシリーズ vol.3『日常／制作』細倉真弓（写真家）×村田沙耶香（小説家）」に参加。五月二七日、日本交流基金主催「オンライン配信事業 More than worth sharing　第五回翻訳家座談会～村田沙耶香『コンビニ人間』～」に、エイナット・クーパー、ドミトーリ・コヴァレーニン、ジャンルーカ・コーチ、リタ・コール、竹森ジニー、アストギク・ホワニーシャンら六人の翻訳家と参加。司会は沼野允義。「創る人52人の「２０２０コロナ禍」日記リレー」（「新潮」3月号）の「十月七日（水）～十月一三日（火）」を担当。七月一六日、文學界／文喫共催「二着のワンピースができるまで―村田沙耶香 x YUKI FUJISAWA×朝吹真理子」というトークイベントに参加。「書かなかった小説」（「文學界」8月号）発表。二〇日、ダヴィッド・シュリグリーと金氏撤平と共に展覧会「村田沙耶香の世界観〝正常〟の構造と暴力性」（八月二〇日～十月一七日「GYRE主催GYRE GALLERY会場」）を開催。「最後の展覧会」（「新潮」9月号。創刊１４００号記念特大号）発表。九月九日、ベルリン日独センター「村田沙耶香朗読会&トーク」に参加。一一月、ちくま文庫『変半身』、朝日文庫『となりの脳世界』刊行。「鎮魂祭とマスク（特集　綿矢りさ）」（「ユリイカ」11月号）発表。二〇日、山形県生涯学習センター&山形小説家・ライター講座　コラボ企画「島本理生&村田沙耶香オンライントークショー〝創作と変化〟」に参加。一二月、朝日文庫『私が食べた本』刊行。一五日、ワシントン大学セントルイス主催「J-Book Club」にゲストとしてリモート参加。一八日、「Authors Alive! ～作家に会おう～」（村田沙耶香×朝井リョウ　早稲田大学国際文学館「村上春樹ライブラリー」）に参加。

二〇二二（令和四）年　四三歳

一月一六日、全国大学生協連主催「Reader's フェスタ２０２２ 村田沙耶香さんと話そう！」に参加。「平凡な殺意」（「新潮」2月号）発表。二月五日、三鷹市芸術文化センターの文学講演会で「小説から繋がっていくもの」のタイトルで講演。四月一六日、市原湖畔美術館主催「オープニングトーク金氏徹平×村田沙耶香「変容する世界の中で」」に参加。五月、河出文庫『生命式』刊行。「文學界新人賞」の選考委員を務める（「文學界」3月号～）。六月、デンマークへ渡航、Louisiana Channel（https://www.youtube.com/watch?v=s_Z9AamH4XM）のためのビデオを収録。同月、『信仰』（「信仰」「生存」「土脈潤起」「彼らの惑星へ帰っていくこと」「カルチャーショック」「気持ちよさという罪」「書かなかった小説」「最後の展覧会」所収。文藝春秋）刊行。「書いている状態の人間に向けて」（「文學界」8月号）発表。九月二五日、ソウル国際作家祭にゲストとして参加。一〇月二〇日、短編小説「無」のオーディオ作品を発表（同作は、他のアジアの若手作家九人が書いた小説と一緒にレコード化された（https://prtimes.jp/main/html/rd/p/000000152.000036126.html）。一〇月二七日、ignition gallery主催、倉本さおりとのトーク『読むこと、書くこと』に参加。一二月四日、コトゴトブックス主催「村田沙耶香さんと読む『信仰』オンライン読書会」に参加。一五日、京都精華大学主催の「アセンブリーアワー講演会」のゲストとして参加。同月、日韓同時刊行アンソロジー『絶縁』（小学館）に「無」を収録。

二〇二三（令和五）年　四四歳

二月、角川文庫『丸の内魔法少女ミラクリーナ』刊行。三月三日、チェッコリ主催「『絶縁』から始まるアジア文学　第一夜」のトークイベントに星泉と参加。「おろか」（「新潮」4月号）発表。五月一三日、ニューヨークで行われたPen America主催「World Voices Festival」に参加。「整頓」前篇（「群像」6月号）発表。「新潮」の「テロと戦時下の2022-2023日記リレー」（「新潮」9月）の二〇二二年九月二日（金）から八日（木）を担当。九月二三日、「Freeman's - The Best New Writings on Conclusion」に「変容」の英訳「Transmogrification」（竹森ジニ訳）が掲載。一〇月、ドイツのフランクフルトブックフェアへ行き、二一日にトークイベントに参加。

（イタリア・トリノ大学外国語文学及び現代文化学部助教）

村田沙耶香　主要参考文献

スペッキオ・アンナ

雑誌特集

「ユリイカ」（13・7）「特集　女子とエロ・小説篇」

「社会文学」（17・7）「小特集 村田沙耶香『コンビニ人間』感想集」

「群像」（23・6）「特集　村田沙耶香の20年」

論文・評論

内藤千珠子「不機嫌な小説論(4)村田沙耶香「授乳」喋らない穴」（「早稲田文学」第9次　03・11）

呂衛清「村田沙耶香『タダイマトビラ』に対する文学倫理学的批評」（「比較日本文化学研究」第9号 16・3）

星野光徳「自意識の消滅について：芥川賞・村田沙耶香『コンビニ人間』を読む」（「群系」37号　16・9）

佐藤康智「水槽としてのコンビニ――『コンビニ人間』論」（「群像」16・12）

王静「(中国語)第155届芥川奖作品村田沙耶香《便利店人》—对〝正常〟和〝非正常〟的拷问」（「长江丛刊・理论研究」16・12）

呂衛清／安部智子「(中国語)隐遁于便利店里的荒诞人」（「安徽文学」16・12）

飯田祐子「〈語りにくさ〉を語ること—村田沙耶香を読む」（「日本文学」66巻1号　17・1）

飯田祐子「村田沙耶香の現在」（「学士会会報」17・1）

矢野利裕「新感覚系とプロレタリア文学の現代—平成文学史序説」（「すばる」17・2）

呂衛清／安部智子「「音」から「声」へ—村田沙耶香の『コンビニ人間』を読む」（「比較日本文学研究」第10号　17・3）

宮原昭夫「外界と内面の狭間-村田沙耶香の世界」（『自意識劇の変貌』言海書房、17・3）

矢野千晶「差の消滅—村田沙耶香「授乳」から「コンビニ人間」まで—」（「同志社女子大学日本語日本文学」第29号　17・6）

永井里佳「村田沙耶香「コンビニ人間」の孤独と増田みず子「シングル・セル」の孤独への一考察」（「世界文学」125号　17・7）

呂衛清「(中国語)郑格：基于存在主义解读《便利店人》」（「长春教育学院学报」17・8）

周菲菲「(中国語)《便利店人》中的当代都市书写的空

间维度」（「当代外国文学」18・2）

兪在眞「（韓国語）村田沙耶香の『コンビニ人間』を読む—「近代的自我」の終焉—」（「日本言語文化」第43号 18・6）

スペッキオ・アンナ「（英語）Eutopizing the Dystopia. Gender Roles, Motherhood and Reproduction in Murata Sayaka's Satujin Shussan」（「Metacritic Journal for Comparative Studies and Theory」第4巻1号 18・7）

江南亜美子「つぎの時代の夢を見る：村田沙耶香論」（「新潮」18・10）

千野帽子「幻談の骨法：世界一簡単な幻想・小説論（第78回）村田沙耶香『殺人出産』から『地球星人』へ」（「ハヤカワミステリマガジン」19・1）

橋本夏希「村田沙耶香『コンビニ人間』論—「普通」と「異常」の間で—」（「玉藻」第53号 19・3）

黒岩祐市「「性別」を脱ぐ、「性別」を着込む：村田沙耶香『ハコブネ』とジェンダー規範（総特集 ジュディス・バトラー：『ジェンダー・トラブル』から『アセンブリ』へ）（「現代思想」47号 19・3）

飯田祐子「村田沙耶香とジェンダー・クイアー『コンビニ人間』、『地球星人』、その他の創作」（「JunCulture：超域的日本文化研究」第10号 19・3）

リー・ジスーク「村田沙耶香の『コンビニ人間』—古倉の欠如と成長を中心として」（「日本文化學報」第81号 19・5）

宋波／张璋「（中国語）身份认同的困惑与焦虑：论村田沙耶香的《便利店人类》（「五邑大学学报」19・8）

杨洪俊「（中国語）“正常”何谓的追问—《便利店人》的生态女性主义释读（「外国文学」20・1）

黒岩祐市「〈クイア〉に読む、〈クイア〉を読むこと：村田沙耶香『トリプル』」（「JunCulture：超域的日本文化研究第」11号 20・3）

杨洋「（中国語）读《便利店人》有感——什么是〝正常〟?」（「2020 南国博览学术研讨会论文集（1）」20・7）

スペッキオ・アンナ「（英語）No Sex and the Paradise City: A critical reading of Murata Sayaka's Shōmetsu sekai（2015）」（「Kervan - International Journal of African and Asiatic Studies」20・8）

中俣暁生「政治を語る言葉を失った日本の小説・村田沙耶香『コンビニ人間』崔 実『ジニのパズル』（『失われた「文学」を求めて―文芸時評編』つかだま書房、20・10）

ウィリヤエナワット・ピヤヌット「村田沙耶香『コン

ビニ人間』―タイにおけるその翻訳と文化の受容をめぐって」（「跨境：日本語文学研究 ＝ Border Crossings : the Journal of Japanese Language Literature Studies」第11巻1号　20・11）

原英一「文明と闇：メレディス、コンラッドからハン・ガン、村田沙耶香まで」（「コンラッド研究」11号 20・12）

陈沛妍「（中国語）对于自我身份认同的追寻――浅析村田沙耶香《人间便利店》中的主人公形象」（「北方文学」20・12）

欧翔「（中国語）《便利店人》论―用反讽重建〝水箱〟」（「上海外国语大学硕士论文」20・12）

刘克华／白露「（中国語）论村田沙耶香《方舟》中的性别意识」（「当代外国文学」21・1）

サウット・キアラ「村田沙耶香の文学世界におけるジェンダーと生殖技術―『殺人出産』『消滅世界』をめぐって」（「東洋大学大学院紀要」57巻　21・3）

森田系太郎「クトゥルー新世のクイアなサイボーグ？：村田沙耶香『コンビニ人間』を読む」（「文学と環境」24号　21・6）

久米依子「サービス業と社会的承認――『コンビニ人間』と異世界男子の時代に」（「語文」第170号　21・6）

黒岩裕市「《性別》をなくすという企て―村田沙耶香『無性教室』」（中央大学人文科学研究所「人文研紀要」100号　21・9）

セラーノムニョス・ジョルディ「（英語）Bodies and Economic Violences in Contemporary Japanese Fiction. Absence, Change, and Empowerment in Yū Miri, Murata Sayaka, and Kawakami Mieko」（「Narratives of Violence・Biblioteca di rassegna iberistica」21号　21・10）

原田和江『（英語）Sexuality, Maternity and （Re）Productive Futures』Brill, 21・11（本作では『消滅世界』などについての引用が多い）

ヒ・サンヒョク「遂行主体のめまい―村田沙耶香『コンビニ人間』、『消滅世界』、『殺人出産』―」（「日本語文學」第91巻0号　21・12）

梁相楠「（中国語）If you are happy, you should be sociable：The Narrative Voice and Feminist Politics of Convenience Store Woman」（「日中言語文化」14号　21・12）

ダルミ・カタリン「（英語）Voices of Abused Children in Contemporary Japanese Fiction：Sayaka Murata's Tadaima tobira and Chikyūseijin」（「広島大学学術情報リポジトリ」17号　22・3）

ロナルド・サラディン「（英語）Androids for the Stone Age?: Individuality, Space, and Gender in Murata Sayaka's Convenience Store Woman」（「U.S.-Japan Women's Journal」第61巻　22・5）

黒岩裕市「「性の形」を作りだす―村田沙耶香『星が吸う水』―」（「人文研紀要」103巻　22・9）

由尾瞳、アルサテ・ブリティカ　フリアナ「Reimagining the Past, Present, and the Future of Reproductive Bodies in Contemporary Japanese Women's Fiction: Mieko Kawakami's Brest and Eggs and Murata Sayaka's Vanishing World」（Beth Widmaier Capo, Laura Lazzari編『The Palgrave Handbook of Reproductive Justice and Literatuere』22・9）

梁相楠「（中国語）If you are happy, you should be sociable（2）」（「日中言語文化15号」22・9）

原田和恵「（英語）Women and speculative fiction：Ōhara Mariko, Murata Sayaka, and Ueda Sayuri」（コープランド・レベッカ編『Handbook of Modern and Contemporary Japanese Women Writers』22・12）

シーマン・アマンダ「（英語）The Mommy Trap：Childless women write motherhood. Kōno Taeko, Takahashi Takako, and Murata Sayaka」（コープランド・レベッカ編『Handbook of Modern and Contemporary Japanese Women Writers』22・12）

スペッキオ・アンナ「（英語）Womend and queer kinships：Matsuura Rieko, Fujino Chiya, and Murata Sayaka」（コープランド・レベッカ編『Handbook of Modern and Contemporary Japanese Women Writers』22・12）

宮澤隆義「「生き延び」の光学：佐藤究／村田沙耶香論」（「群像」23・2）

西村紗知「すばるクリティーク　ポップアンドカルチャートリロジー」（「すばる」23・2）

スペッキオ・アンナ「（英語）Consumed Bodies and Unhinged Women. The Dystopian Worlds of Murata Sayaka's Seimeishiki（Life Ceremony, 2013）and Ono Miyuki's Karada o uru koto（"Selling the Body",2020）」（「Dive-In. An International Journal on Diversity and Inclusion」3巻2号　24・1）

対談・インタビューなど

宮内千和子「〈インタビュー〉特集 村田沙耶香『ハコブネ』村田沙耶香 とことん女の子の性を書きたかっ

た」（「青春と読書」11・11）
市川真人「〈インタビュー〉小説を書いて、「解放」へ向かう」（「すばる」11・12）
「作家の読書道〈インタビュー〉第125回 村田沙耶香さん」（「WEB本の雑誌https://www.webdoku.jp/rensai/sakka/michi125_murata/」12・5・16）
松浦理英子「〈対談〉それぞれの孤独に寄り添って」（「新潮」12・10）
雨宮まみ「〈インタビュー〉光に満ちた毒をたずさえて―しろいろの街で生きのびるための方法」（「ユリイカ」13・7）
瀧井朝世「〈インタビュー〉第二十六回三島由紀夫賞受賞記念インタビュー　世界を肯定する場所へ」（「新潮」13・7）
西加奈子「〈対談〉思春期と創作」（「小説トリッパー」秋号 15・9）
柴崎友香／島本理生「〈鼎談〉日本酒女子会　完全実況中継（特集 酒とつまみと小説と）」（「文學界」15・10）
西加奈子／柚木麻子「〈鼎談〉これからのヒロイン〜彼女たちは何を書いてきたのか」（「エル・ジャパン」16・6・2）
中村文則「〈対談〉我らコンビニ出身作家」（「文學界」16・9）
瀧井朝世「〈インタビュー〉私にとって、コンビニは世界への扉でした―村田沙耶香（1）」（「文春オンライン」https://bunshun.jp/articles/-/148　16・10・1）
瀧井朝世「〈インタビュー〉馬鹿で、単細胞で、小説のことばかり考えている。それが幸せ―村田沙耶香（2）」（「文春オンライン」https://bunshun.jp/articles/-/40　16・10・2）
羽田圭介「〈対談〉道を開いてくれた、私たちを構成する5冊」（「エル・ジャパン」17・2）
羽田圭介「〈対談〉私たちが受賞で得たもの」（「文學界」17・3）
千葉雅也／松岡正剛「〈鼎談〉来たるべきエロス」（「Studio Voice 411号―Alternative Eroticismゆらぐエロ」17・10）
新井素子／村田沙耶香「〈鼎談〉星新一フェア開催記念対談 私の好きな星新一」（「波」51号 17・12）
堀川美行「〈インタビュー〉「コンビニ人間」が見る風景小説家村田沙耶香（特集 時代を読む 115テーマ 2017年大予測：破壊され生まれ変わる世界と日本）―（2017ピープル スポーツ・カルチャー）」（「週刊東洋経済」17・12・31）

稲垣諭「〈インタビュー〉「地球星人」の豊かな可能性描く　最新長編『地球星人』を語る」（「週刊読書人」18・8・31）

西加奈子「〈対談〉人間の外側へ」（「新潮」18・10）

橋本紀子「〈インタビュー〉村田沙耶香『地球星人』」（「P+D MAGAZINE」18・11・9）

村田沙耶香「〈インタビュー〉トロント国際作家祭（TIFA）小説『コンビニ人間』芥川賞作家村田沙耶香さんインタビュー・トロントを訪れた著名人」（「TORJA Toronto+Japan Magazine」18・12・1）

山田洋介「〈インタビュー〉ベストセラーズ　第103回村田沙耶香さん」（「新刊ＪＰ」18・12）

生湯葉シホ「〈インタビュー〉『コンビニ人間』著者・村田沙耶香「普通に見える人たちも、じっくり話すと変なところがある」（「イ・アイデム」19・2・20）

宇佐見りん「〈対談〉第56回 文藝賞受賞記念対談　進化する〝母と娘〟の物語」（「文藝」19・冬号）

宮田文久「〈ダブルインタビュー〉村田沙耶香と松井周が観察する、傲慢で変な「人間」という生き物」（「CINRA.NET」19・11・5）

河村道子「〈インタビュー〉従来の価値観を揺るがす！死んだ人間を食べながら、男女が受精相手を探す…『生命式』村田沙耶香」（「ダ・ヴィンチWEB　https://ddnavi.com/interview/573499/a/」19・11・6）

中村真理子「〈インタビュー〉村田沙耶香さん短編集『生命式』常識を疑い、タブーに切り込む」（「朝日新聞」19・11・6→「ブック朝日　https://book.asahi.com/article/12859044」のウェブサイトにも掲載、19・11・8）

神田法子「〈インタビュー〉家族システムを採用しない、生殖と繁殖のＩｆ。芥川作家・村田沙耶香さんが提示するタブーなき思考実験」（「ウェジー」19・12・21）

モモコグミカンパニー「〈インタビュー〉BiSHのモモコグミカンパニーが、今一番会いたかった作家の頭の中を大解剖！　村田沙耶香『丸の内魔法少女ミラクリーナ』刊行記念スペシャルインタビュー【前半】」（「カドブン・KADOKAWA文芸WEBマガジン」https://kadobun.jp/feature/interview/c0vdpcy0o4gk.html　20・2・20）

モモコグミカンパニー「〈インタビュー〉BiSHのモモコグミカンパニーが、今一番会いたかった作家の頭の中を大解剖！　村田沙耶香『丸の内魔法少女ミラクリーナ』刊行記念スペシャルインタビュー【後半】」（「カドブン・KADOKAWA文芸WEBマガジンhttps://

kadobun.jp/feature/interview/93tka74pmz48.html」20・2・26）
公募ガイド編集部「〈インタビュー〉作家インタビューWEB版　村田沙耶香さん」（「公募ガイドオンラインhttps://www.koubo.co.jp/reading/rensai/article/kiitemitai/2005_murata.html」20・4・9）
公募ガイド編集部「〈インタビュー〉村田沙耶香（芥川賞作家）」（「公募ガイド」20・5）
文學界編集部「〈鼎談〉綿矢りさ／朝吹真理子　深夜二時から始まる話」（「文學界」20・5）
Voice編集部「〈インタビュー〉村田沙耶香氏の《定年後につける第二の仮面》」（「Voice」20・5→インタビューの一部を抜粋し、「Voiceウエブhttps://shuchi.php.co.jp/voice/detail/7547?p=1」に掲載、20・5・2）
李琴峰「〈対談〉マイノリティを誠実に書くということ『ポラリスが降り注ぐ夜』刊行記念対談」（「ウェブちくまhttps://www.webchikuma.jp/articles/-/2056」20・5・5）
山本ヤスノリ「〈インタビュー〉『丸の内魔法少女ミラクリーナ』小説の中でも友情って汚せないんです」（「クロワッサン」20・5・21）
北村浩子「〈インタビュー〉村田沙耶香　妊娠・出産にまつわる「情緒」を取り払ってみたい（特集　新たな命が生まれるとき、物語も生まれる！時代を映る「妊娠・出産」小説）」（「文蔵」20・6）
リーミン・ジン「〈対談〉日米百万部作家対談「パチンコ」×「コンビニ人間」：私たちはこの愚かな世界と戦わなくてはいけない」（「文藝春秋」20・10）
宇佐見りん「〈対談〉作家は「小説の奴隷」になれるか…宇佐見りん／村田沙耶香、芥川賞受賞対談」（「讀賣新聞オンライン」https://www.yomiuri.co.jp/culture/20210201-OYT1T50091/　21・2・2）
澤大知「〈対談〉第58回　文藝賞受賞記念対談〝物の眼差し〟から世界を知覚する」（「文藝」21・冬号11）
朝井リョウ「〈対談〉「速い怒り」に抗って」（「新潮」21・5）
佐伯 啓思「〈対談〉ウイルスとしての人間（特集　コロナ後の人生哲学）」（「ひらく5号」21・6）
山崎ナオコーラ「〈対談〉身体をめぐる言葉」（「Numero TOKYO」https://numero.jp/20210715-bodies-through-a-pen-interview/　21・6→同対談は「ヌメロ・トウキョウ」のウェブサイトに一部掲載、21・7・15）
中前結花「〈インタビュー〉つくるしごとVol. 8 村田沙耶香　平凡からの飛躍。『丸の内魔法少女ミラクリ

ーナ』は誰かのコンパクトのような作品に」（「minneとものづくりと」21・7・18）

朝吹真理子／YUKI FUJISAWA「〈鼎談〉「夢」と「記憶」から服を作る制作の服を公開（特集ファッションと文学）」（「文學界」21・8）

千葉雅也／司会佐々木敦「〈鼎談〉水槽の中のからだ／水槽の中のことば」（「ことばと」21・10）

小峰健二「〈インタビュー〉《見初められる》シンデレラは怖い話？ 村田沙耶香さんが考える恋愛」（「朝日新聞デジタル」https://www.asahi.com/articles/ASPDX6VLFPDXUCVL01C.html　22・1・4）

島本理生／瀧井朝世司会「〈鼎談〉「自分の傷が癒されていく…」なぜこうも惹かれるのか？」（「WEB別冊文芸春秋」https://bessatsu-bunshun.com/n/nd960dc3b12e2　22・2・25）

島本理生「〈対談〉『「普通」に抗う』」（「別冊　文藝春秋」42号　22・3）

小沼理「〈インタビュー〉村田沙耶香が語る、世界に向けて小説を書くこと　「自分にとって都合の悪い作品を作りたい」」「Real Sound」22・6・14）

清繭子「〈インタビュー〉小説を信仰し、実験し続ける」（「好書好日　Good Life With Booksオンライン」https://book.asahi.com/article/14655505　22・6・29）

若林理央「〈インタビュー〉村田沙耶香さんが明かす、新刊『信仰』で物語の向かう先が決まった瞬間と「おばあさんになったときの理想像」」「フムフムニュースオンライン」https://fumufumunews.jp/articles/photo/22779　22・8・8）

岡村靖幸「〈対談〉幸福への道」（「週刊文春ウーマン」15号　22・秋号）

チョン・セラン「〈特別対談〉アジア文学という冒険がはじまる　日韓同時刊行アンソロジー『絶縁』を巡って」（「文藝」23・春号）

岩川ありさ「《インタビュー》村田沙耶香　小説を裏切らず、変わらずに書き続ける」（「群像」23・6）

犬山紙子／朝吹真理子「《鼎談》童話発、ＢＬ経由、文学行き」（「文學界」23・7）

柴崎友香／西加奈子「〈鼎談〉どの年齢や時間にも、初めて見える景色がある」（「文藝」23・秋号）

合評・書評・解説・その他

川村二郎／富崎由美／絲山 秋子「〈創作合評〉「ひかりのあしおと」（「群像」07・3）

松永美穂／中村文則／宇野常寛「〈創作合評〉「星が吸

う水」（「群像」09・4）

町田康／東直子／都甲幸治「〈創作合評〉「街を食べる」（「群像」09・9）

瀧井朝世「解説」（『授乳』講談社文庫、10・4）

藤沢周／小池昌代／山城むつみ「〈創作合評〉「ハコブネ」」（「群像」10・11）

樋口毅宏「解説」（『タダイマトビラ』新潮文庫、12・11）

江南亜美子「小説交差点（クロッシング）（♯6）まだ名のない関係性に向かって：松浦理英子『奇貨』、村田沙耶香『しろいろの街の、その骨の体温の』、津村記久子『ウエストウイング』」（「小説トリッパー」13・春号）

堀江敏幸／諏訪 哲史／平野 啓一郎「〈創作合評〉「殺人出産」」（「群像」14・6）

松永美穂「〈書評〉『殺人出産』」（「文藝」14・秋号）

西加奈子「解説―傷だらけの叫びを」（『しろいろの街の、その骨の体温の』朝日文庫、15・17）

小島慶子「〈書評〉『消滅世界』身に覚えのある未来」（「文藝」16・春号）

倉本さおり「〈クロスレビュー〉強制的な〈正しさ〉の前で　本谷有希子『異類婚姻譚』、村田沙耶香『消滅世界』」（「小説トリッパー」16・春号）

毎日新聞編集部「村田さん、高校入学時の文集〈いつかの理想の自分〉」（「毎日新聞」16・7・20）

産経新聞編集部「異例のコンビニサイン会　芥川賞の村田沙耶香さん」（「産経新聞」16・8・24）

鴻巣友季子「〈季刊ブックレビュー〉ネックレスをスープで煮よ　村田沙耶香『コンビニ人間』」（「小説トリッパー」16・秋号）

市川真人「解説」（『ハコブネ』集英社文庫、16・11）

文芸春秋編「小さな大物（354）村田沙耶香」（「文藝春秋」17・2）

島﨑 今日子「現代の肖像 作家 村田沙耶香 人類を裏切るような言葉を」（「アエラ」17・5・15）

石原千秋「漱石『こころ』を終わらせた小説 - 村田沙耶香『コンビニ人間』」（「文藝」17・秋号）

馬場美佳／福島勲「〈二人冗語〉限りなく透明に近いエロス―村田沙耶香「満潮」」（「週刊読書人」3213号 17・11）

藤田香織「解説」（『ギンイロノウタ』新潮文庫、18・1）

藤沢周／ 松永美保／ 江南亜美子「〈創作合評〉「満潮」」（「群像」18・2）

富山幸一朗／諏訪 哲史／朝比奈 あすか「〈創作合評〉「地球星人」」（「群像」18・6）

リシュ・モトコ「（英語）For Japanese Novelist Sayaka

Murata、Odd is the New Normal」(「The New York Times」18・6・6)
斎藤環「解説─彼女と異性愛主義の闘いにおいては「発達障害」に支援せよ」(『消滅世界』河出文庫、18・7)
渡辺由佳里「英語圏ではわかりにくい『コンビニ人間』の日本的背景」(「ニューズウィーク日本版」18・7・19)
倉本さおり「〈クロスレビュー〉〈家族〉の輪郭をほどく　古谷田奈月『無限の玄／風下の朱』、彩瀬まる『不在』、村田沙耶香『地球星人』」(「小説トリッパー」18・秋号)
中村文則「解説」(『コンビニ人間』文春文庫　18・9)
スコロラヴェッザ・パオラ「(イタリア語)Da Murata Sayaka, ilritratto di una donna al di là dell'eimpatia」(「Alias/Il Manifesto」18・9・9)
斎藤優／片山杜秀「現代に生きるファシズム(第3回)『消滅世界』(村田沙耶香)、『アカガミ』(窪美澄)、『橋を渡る』(吉田修一)ほか　ディストピア小説を読むと日本が見える!」(「サピオ」第30巻6号　18・11)
上田麻由子「〈書評〉『地球星人』魔法という、生存戦略」(「文藝」18・冬号)
佐藤優「ベストセラーで読む日本の近現代史(第63回)猛毒をあえてそのまま提示した文学『コンビニ人間』村田沙耶香」(「文藝春秋」18・12)
スペッキオ・アンナ「(イタリア語)Ciò che conta è diventare un ingranaggio」(「L'indice dei libri del mese」18・12・13)
横山芙美「村田沙耶香の小説『コンビニ人間』が、米雑誌『ザ・ニューヨーカー』が選ぶ「The Best Books of 2018」に選出!」(「GQ　Japan」18・12・18)
ドエル・サラ「(英語)Book Reviw : Convenience Store Woman by Sayaka Murata」(「JAPAN Forward」19・4・23)
プリヴィテーラ・フェデリカ「(イタリア語)"La ragazza del convenience store": la libertà di essere strani in una società che ci vuole tutti uguali」(「CriticaLetteraria」19・5・15)
朝吹真理子「〈書評〉『生命式』「正しさ」なんてぜんぶ噛み砕いてしまいたい」(「文藝」19・冬号)
大塚真祐子「性と生を問い直す村田沙耶香『生命式』」(「本の雑誌」19・12)
倉本さおり「〈クロスレビュー〉人を人たらしめるもの　村田沙耶香『生命式』、川上弘美『某(ぼう)』」(「小説トリッパー」19・冬号)
雷东／林进「(中国語)浅析《便利店人》中的当代日本

女性婚姻观(「品味・经典」20・6)
謝琪「(中国語)《便利店人》的故事构建研究」(「作家天地」20・7)
ミレット・リディア「(英語)To Sayaka Murata, Nonconformity is a Slippery Slope—Earthlings by Sayaka Murata」(「The New York　Times」20・10・6)
ウイリアムズ・ホリー「(英語)Earthlings by Sayaka Murata Review　— Compellingly Weird」(「The Guardian」20・10・13)
板倉君枝「『コンビニ人間で海外でも注目・村田沙耶香：「魔法少女」に変身できない私たちが生き抜くために」(「ニッポンドットコム」https://www.nippon.com/ja/japan-topics/e00175/　20・10・23)
ヘイズ・ステファニー「(英語)A Dystopian Novel that Challenges Taboos and Refuses Judgement」(「The Atlantic」20・11・9)
油井なおみ「パイオニアの突破力(第65回)村田沙耶香 小説家 価値観は時代とともに変容する 正義の基準さえ曖昧な今こそ向き合うべきもの」(「事業講思＝Project Design」20・12)
立花もも「同級生からカルト商法に誘われた彼女は——？　世界中の読者を熱狂させる、村田沙耶香最新作『信仰』」(「ダ・ヴィンチWeb」https://ddnavi.com/review/1001444/a/　22・6・22)
清水良典「『信仰』村田沙耶香 現実とカルト 常識揺する」(「産経新聞オンライン」https://www.sankei.com/article/20220731-7W3D3WMVRFM7RNEJL2HR3LPGHA/　22・7・31)
児玉美月「聖性と毒性を携えた「新興宗教」—村田沙耶香『信仰』」(「文學界」22・8)
年森瑛「〈書評〉『信仰』　ずっと信じ続けられますように」(「文藝」22・秋号)
高頭佐和子「異質さを受け容れるということ—『信仰』村田沙耶香」(「小説トリッパー」22・秋号)
河内 恵子「書評 問い続ける文学　村田沙耶香『信仰』」(「三田文学」23・2)

外国語翻訳

『星辰啜露(星が吸う水)』(趙秀娟中国語訳、金城出版社、10・1)
『方舟(ハコブネ)』(竺家栄中国語訳、新星出版社、12・9)
『은색의 노래(ギンイロノウタ)』(オヨン・ギョン韓国語翻訳、파란미디어、11・20)

「A Clean Marriage（清潔な結婚）」（竹森ジニー英訳、『Granta 127号』、14・4）
『편의점 인간（コンビニ人間）』（キム・セオクヒー韓国語訳、살림、16・11）
『殺人生産（殺人出産）』（高詹燦中国語訳、繁体字版、皇冠出版社、17・3）
『소멸세계（消滅世界）』（チョイ・コエウン韓国語翻訳、살림、17・7）
「A First-Rate Material（素敵な素材）」（竹森ジニー英訳、『Freeman's: The Future of New Writing』Groove Press, 17・10）
『살인출산（殺人出産）』（イ・ヨンミ韓国語翻訳、현대문학、18・1）
『Die Ladenhüterin（コンビニ人間）』（グレーフェ ウルズラ独訳、Aufbau Verlag, 18・3）
『人间便利店（コンビニ人間）』（吴曦中国語訳、湖南文艺出版社、18・1）
『Convenience Store Woman（コンビニ人間）』（竹森ジニー英訳、Groove Press, 18・6）
『La ragazza del convenience store（コンビニ人間）』（Edizioni EO、コーチ・ジャンルーカ伊訳、18・7）
『Convenience Store Woman（コンビニ人間）』（竹森ジニー英訳、Faber and Faber, 18・7）
『Querida konbini（コンビニ人間）』（コル・リタブラジル語訳、Edição Português, 18・9）
『มนุษย์ร้านสะดวกซื้อ（コンビニ人間）』（パソウィモン・チターウィリヤンクタイ語訳、Animag, 18・10）
『멀리 갈 수 있는 배（ハコブネ）』（キム・ユンヒ韓国語翻訳、살림、18・10）
『La dependienta（コンビニ人間）』（Duomo Editorial, ボールナス・マリナスペイン語訳、19・1）
『Dziewczyna z konbini（コンビニ人間）』（Wydawn. Uniwersytetu Jagiellońskiego, ダリウス・ラトスポランド語訳、19・3）
『La fille de la supére（コンビニ人間）』（マティルド・タマエ・ブオーン仏訳、Editions Gallimards, 19・4）
『Convenience Store Woman（コンビニ人間）』（竹森ジニー英訳、Granta Books, 19・5）
『Døgnkioskmennesket（コンビニ人間）』（メッテ・ホルム、デンマーク語訳、Grif, 19・5）
『Die Ladenhüterin（コンビニ人間）』（グレーフェ ウルズラ独訳、Aufbau Verlag, 19・9）
『적의를 담아 애정을 고백하는 법（しろいろの街の、その骨の体温の）』（チョイ・コエウン韓国語翻訳、살림

20・3）
『아 난 이런 어른이 될 운명이었던가（きれいなシワの作り方）』（ソ・ヨンウ韓国語訳、자그마치북스、20・4）
『Das Seidenraupenzimmer（地球星人）』（グレーフェ ウルズラ独訳、Aufbau Verlag, 20・6）
「Survival（生存）」（竹森ジニー英訳、ジョーン・フリーマン編『Tales of two Plaets』, Penguin Random House, 20・8）
『Earthlings（地球星人）』（竹森ジニー英訳、Faber and Faber, 20・10）
「Faith（信仰）」（竹森ジニー英訳、『Granta Online』20・11・18）
『Terráqueos（地球星人）』（コル・リタブラジル語訳、Edição Português, 21・5）
『Les terriens（地球星人）』（マティルド・タマエ・ブオーン仏訳、Denoël, 21・5）
『La ragazza del convenience store（コンビニ人間）』（Edizioni EO, コーチ・ジャンルーカ伊訳、21・5）
『Konbini - La fille de la supére（コンビニ人間）』（マティルド・タマエ・ブオーン仏訳、Editions Denoël, 21・5）
『Earthlings（地球星人）』（竹森ジニー英訳、Granta Books、21・7）
『生命式（生命式）』（邱香凝中国語訳、時報文化出版社、21・8）『生命式（生命式）』（魏晨中国語訳、浙江文藝出版社、21・8）
『Jordboerne（地球星人）』（メット・ホムルデンマーク語訳、Grif, 21・9）
「Final Days（余命）」（竹森ジニー英訳、『Freeman's : Change』Groove Press、21・10）
『I Terrestri（地球星人）』（コーチ・ジャンルーカ伊訳、Edizioni EOハードカバー、21・10）
『Das Seidenraupenzimmer（地球星人）』（グレーフェ ウルズラ独訳、Aufbau Verlag, 21・12）
『무성 교실（無性教室）』（チョイ・コエウン韓国語訳、하빌리스、22・3）
『La dependienta（コンビニ人間）』（ボールナス・マリナスペイン語訳、Duomo Editorial, 22・4）
『Dziewczyna z konbini（コンビニ人間）』（ダリウス・ラトスポーランド語訳、Wydawnictwo Uniwersytetu Jagiellońskiego, 19・3）
『Life Ceremony（生命式）』（竹森ジニー英訳、Groove Press, 22・7）
『Life Ceremony（生命式）』（竹森ジニー英訳、Faber and Faber, 22・7）

『Gyvybės ceremonija（生命式）』（ルタ・アレクサンドラヴィチウテ、リトアニア語訳、Lithuanian Writers' Union Publishing House, 23・7）
「Transmogrification（変容）」（竹森ジニー英訳、『Freeman's - The Best New Writing on Conclusion』に掲載、Freeman, 23・7）
（イタリア・トリノ大学外国語文学及び現代文化学部助教）

現代女性作家読本㉑

村田沙耶香

発　行――二〇二四年五月二〇日
編　者――スペッキオ・アンナ
発行者――金子堅一郎
発行所――鼎　書　房　https://www.kanae-shobo.com
〒134-0083　東京都江戸川区中葛西五-四一-一七-六〇六
TEL・FAX　〇三-五八七八-〇一二二
印刷所――TOP印刷
製本所――エイワ

表紙デザイン――西本紗和子

ISBN978-4-907282-98-1 C0095

現代女性作家読本

各巻本体価格　一、八〇〇円＋税

〈第一期・全10巻〉

原　善 編「川上弘美」
髙根沢紀子 編「小川洋子」
川村　湊 編「津島佑子」
清水良典 編「笙野頼子」
清水良典 編「松浦理英子」
与那覇恵子 編「高樹のぶ子」
髙根沢紀子 編「多和田葉子」
川村　湊 編「柳美里」
原　善 編「山田詠美」
与那覇恵子 編「中沢けい」

〈第二期・全10巻〉

現代女性作家読本刊行会 編「江國香織」
〃「長野まゆみ」
〃「よしもとばなな」
〃「恩田陸」
〃「角田光代」
〃「宮部みゆき」
〃「桐野夏生」
〃「坂東眞砂子」
〃「山本文緒」
〃「林真理子」

〈別巻〉

武蔵野大学日文研 編「鷺沢萠」
立教女学院短期大学 編「西加奈子」